L'École de Brive

ISBN / 2-221-91058-3

L'École de Brive
son histoire,
ses acteurs

Robert Laffont

Son histoire

JACQUES PEUCHMAURD

La confiance et l'amitié

© Serge Bruch

Ceci n'est pas un conte. C'est comme ça que ça s'est fait. Par une succession toute simple de rencontres. Ce n'est pas un conte, mais une histoire, la nôtre. Pour l'essentiel, une histoire de confiance et d'amitié.

Si c'est à moi qu'il revient d'en faire le récit, c'est qu'il s'est trouvé que, du fait de mes fonctions chez Robert Laffont – directeur littéraire puis éditeur –, j'ai été amené à donner forme (ou mieux : figure) à ce qui n'aurait pu être tout bêtement qu'un tas de livres, nés d'auteurs divers.

Mais les dieux veillaient. Précisément, je ne sais quel vieux dieu celte qu'honoraient nos ancêtres gaulois sur les collines, dans les landes et les forêts de notre moyenne et basse Corrèze. Ce dieu-là, que j'appellerai Briva – *briva,* qui signifie pont, est l'un des cent cinquante mots gaulois, qui, à grand-peine, ont traversé deux millénaires pour parvenir jusqu'à nous –, Briva, donc, avait une idée en tête : inspirer, un jour, un groupe de bardes (c'était son mot) et lui donner son nom. Et c'est moi que son doigt, majestueux bien que tremblant, désigna pour être l'instrument de ce grand dessein. De cette mission, je mis longtemps à prendre conscience.

J'aurais dû me méfier : j'étais corrézien (mon père était de Saint-Paul, canton de La Roche-Canillac); j'avais épousé une demoiselle que je connaissais quasiment depuis sa naissance et dont les parents (natifs d'Espagnac, canton de la Roche-Canillac) s'étaient établis à Brive. Fatalité ! Laquelle jeune fille avait usé le fond de ses jupes sur les bancs du vieux collège de Brive à côté d'une gamine qui allait, le bon âge venu, épouser Michel Peyramaure ! Fatalité !

Fatalité, ou signe qu'un dieu bienveillant, du fond de sa barbe, manipulait les destins pour parvenir à ses fins : la création de l'École de Brive ?

Ici s'achève la part légendaire, bien que véridique, de notre histoire.

À l'origine, il y a donc un pays, la Corrèze, et une ville, Brive. Des paysans et des citadins. Les paysans surtout ont fait d'excellents émigrés : ils étaient si pauvres ! Pierre Dauzier et Denis Tillinac, dans leur livre *Les Corréziens,* ont recensé tous ceux qui, plus ou moins connus, honorent la France d'aujourd'hui : « Ils sont partout », et même à l'Élysée. Jean-Guy Soumy a peint, exemplairement, dans *Les Moissons délaissées,* ces grandes migrations saisonnières qui vidaient, chaque printemps, les villages de leurs jeunes hommes : ils montaient à Paris (à pied), de paysans ils devenaient maçons ; ce sont eux, les « Limousinants », qui ont construit le Paris d'Haussmann, et beaucoup sont restés. Les quelques sous qu'ils rapportaient, l'automne venu, à la ferme aidaient les familles à vivre − nous connaissons cela : ainsi font aujourd'hui les gens du tiers monde. Les pauvres ont changé de couleur, c'est tout. Les paysans-maçons de Soumy étaient des Creusois ; mais, Creusois ou Corréziens, c'est pareil : nous sommes tous des Limousins, de la nation gauloise des Lémovices − des pas commodes, selon César.

Michel Peyramaure, lui, est un citadin. C'est un Briviste pur jus. De l'avenue de Paris à la rue de Puyblanc et à l'avenue Jean-Lurçat, il n'a pas franchi les limites de la ville. Son père était imprimeur ; c'est dire qu'il était anarchiste ou du moins vivement socialiste. Il en est resté quelque chose à Michel, qui est un sentimental. En particulier, il porte la plus grande affection au petit gibier corrézien et aux taureaux catalans : il déteste la chasse et la corrida et condamne ceux qui les pratiquent ou ne les désapprouvent pas

(Claude Michelet et moi, par exemple). Il ne supporte pas la vue du sang et de la mort. Sauf dans ses romans, où le sang coule à flots – voir *La Passion cathare, La Lumière et la boue* et *Les Dames de Marsanges,* entre autres (dans le genre, je vous recommande le sac de Béziers, la prise de Limoges, la chute de Trèves). Alors, on s'interroge : quelle est la vraie nature de cet être complexe ? Dans l'homme que nous connaissons, doux, tendre, tolérant, pacifique ou dans le peintre de tant de scènes d'horreur à la description desquelles il prend manifestement un si vif plaisir ? Il a beau rétorquer que ce n'est pas sa faute s'il en allait ainsi dans ces temps barbares – ce que nous n'ignorons pas – , un doute subsiste. Nous l'avons à l'œil.

Si je parle ici, au tout début de notre aventure, de Michel Peyramaure, c'est qu'il fut le premier. L'année même où j'entrais chez Robert Laffont, en 1954, il venait de publier son premier roman *Paradis entre quatre murs* (auparavant, il avait déjà beaucoup écrit : des poèmes, qui, paraît-il, enchantaient les demoiselles du collège), un premier roman, personnel, intimiste, qui ne laissait rien présager de la suite.

Qui s'ouvrit avec éclat, dès l'année suivante, avec *Le Bal des ribauds,* histoire de passion et de violence dans le haut Moyen Âge limousin, roman ardent et barbare, qui, d'entrée, donnait le ton de la longue série de romans historiques qui allaient venir — au rythme pratiquement d'un par an. Incroyable ! Il faut croire que le métier de journaliste « localier » d'un grand quotidien régional *(La Montagne)* laisse des loisirs. Il faut admirer, surtout, la prodigieuse imagination et l'étonnante aisance (Peyramaure écrit quinze, vingt pages par jour) d'un homme que l'invention et la générosité emportent dans un flot qui ne tarit pas — et qui évoque toujours avec justesse, comme s'il les avait vécues, les époques qu'il met en scène. Voilà : Michel Peyramaure est un fabuleux metteur en scène du passé ; là, il est incomparable. En ce moment (été 1996 – 1996 ! ça fait donc quarante ans que ça dure, et je n'ose plus compter le nombre de ses titres), il poursuit l'écriture d'une trilogie dont Henri IV sera le héros ; le premier tome est achevé, le deuxième ne va pas tarder, et le tout paraîtra en 1997. Rien de plus simple. Et je suis persuadé que, dans l'intervalle, il aura bien encore écrit deux ou trois bricoles pour chanter, une nouvelle fois, la Corrèze, célébrer le fromage de Roquefort (ce n'est pas de chez nous, mais tant pis) ou je ne sais quoi. Et j'ai sous le coude un roman, prêt pour la publication, sur les papes français d'Avignon au XIVe siècle (ils furent sept, dont trois Limousins !). Et Michel recèle dans ses tiroirs trente sujets qui ne demandent qu'à servir. Comme il n'est pas assuré de devenir centenaire, de temps en temps, il en propose un à l'un d'entre nous. Comme dit Claude Michelet : « Il faudra l'abattre .»

Claude Michelet, précisément. Eh bien, Claude, c'est Michel Peyramaure qui me l'a présenté — impossible de ne pas voir là, comme plus tard encore, la main de Briva.

Ce fut au terme d'une journée mouillée et venteuse de novembre qui avait vu un certain nombre d'écrivains signer leurs livres sous la grande halle du marché de Brive-la-Gaillarde (oui, oui, celui de Brassens) — première tentative de Foire du Livre, pauvre mais heureuse, avant l'épanouissement que l'on connaît aujourd'hui.

C'était en 1973. Robert Laffont, au printemps, avait publié son livre *Éditeur,* créé du même coup la collection « Un homme et son métier », et, place Saint-Sulpice, nous cherchions des sujets et des auteurs. Transis, Michel et moi rejoignîmes le hall du théâtre où la municipalité, dans sa munificence, offrait un « vin d'honneur » (spécialité provinciale). C'est là que nous tombâmes sur Claude Michelet et que Peyramaure me dit : « Si, pour votre collection, vous cherchez quelqu'un capable d'écrire un *Agriculteur,* voici l'homme qu'il vous faut. » Je me souvins que Claude Michelet avait un père qui s'appelait Edmond Michelet, et qu'il avait publié, chez Julliard, trois ou quatre livres. Et j'appris qu'il était réellement agriculteur, exactement éleveur, à quelques kilomètres de Brive, à Marcillac. Un paysan qui savait écrire et qui, je m'en aperçus très vite par la passion qu'il mettait dans ses propos, avait quelque chose à dire, ce ne devait pas courir les landes et les guérets. Et nous signâmes un contrat. Et, en 1975, paraissait *J'ai choisi la terre* qui connut tout de suite le succès : plus de 30 000 exemplaires en quelques mois — score si estimable pour un livre sur ce sujet-là que, quatre ans plus tard, quand sortit *Des grives aux loups,* je dis à Claude que, si on en faisait également 30 000 (tel est notre langage), nous pourrions être contents. Nous en avons fait des millions. Grâce à Briva, évidemment.

Bon. Peyramaure + Michelet, ça faisait deux. Deux Brivistes. Mais deux Brivistes, ça ne fait pas une bande de Brivistes. Quand même, au printemps 1980, Michel, après *La Passion cathare,* grande œuvre, publiait le premier tome de *La Lumière et la boue,* et Claude obtenait le prix des Libraires, qui l'imposait définitivement, avant de nous donner, à l'automne, *Les palombes ne passeront plus.*

C'est alors que Denis Tillinac déboula dans nos trois quilles. Jamais entendu parler, jamais vu. Pourtant, il avait déjà fait paraître un essai sur Simenon et un petit livre (cent soixante pages), inti-tulé joliment *Spleen en Corrèze,* que je découvris sur le bureau de Robert Laffont où l'avait abandonné son éditeur, qui venait de faire faillite. Au seul mot de Corrèze, j'ai dressé l'oreille et j'ai lu. Le bonheur ! De ces notes et réflexions d'un jeune « localier » de *La Dépêche du Midi* à Tulle, surgissait le plus juste portrait qui se puisse tracer de la vie provinciale à la fin des années 70 — ça n'a pas changé, et c'est pourquoi nous veillons à le rééditer sans cesse. Tout Denis est là, aigu, drôle, tendre, nostalgique. Volatile, insaisissable, mais si fidèle ! Et si perspicace, si intelligent (au sens propre).

Nous nous sommes rencontrés. Un Tintin agité et volubile. J'ai cherché Milou et ne l'ai point trouvé — depuis, j'ai appris qu'il avait bien un chien, en Corrèze, mais qu'il était noir ; tant pis. Une gueule de Hun, preuve qu'en des temps très anciens ces maudits sont venus jusque dans nos campagnes violer nos terres et nos aïeules — renseignements pris aux meilleures sources, il y eut, jusqu'au milieu du XIIᵉ siècle, des incursions de bandes hunniques au cœur de la Bourgogne et du Bourbonnais, et la famille maternelle de Denis est bourbonnaise (ouf ! l'honneur des femmes corréziennes est sauf). Nous nous sommes rencontrés et, immédiatement, spontanément entendus. Comme ce fut le cas, tout de suite après, entre Robert Laffont et lui — on voit cela dans le tout dernier livre de Denis, qui vient de paraître : *Dernier verre au Danton*. Robert Laffont fut pour lui comme un père ; il le dit et c'est vrai.

Il avait sous le bras les épreuves d'un roman prêt à paraître chez son précédent éditeur. Pas très fameux, un peu bâclé, mais « plein de choses », comme on dit, plein des mille traits, tendresses et nostalgies qui font que Denis est unique (sans « h » et avec un seul « n »).

Je l'ai un peu « gratté », je lui ai trouvé un titre : *Le Rêveur d'Amériques* (au pluriel) et nous l'avons publié. C'était en 1980. Année majeure dans notre histoire, décidément.

Peyramaure et Tillinac se connaissaient : entre « localiers » ; et Denis, certainement, savait très bien qui était Michelet, et voici qu'ils se découvraient. Du coup, les Corréziens de Robert Laffont n'étaient plus deux, mais trois. Et toujours moi entre eux.

(Parenthèse... Au point de notre histoire où je suis parvenu, je dis « les Corréziens » et plus seulement « les Brivistes ». Car si Peyramaure et Michelet sont incontestablement des Brivistes, Tillinac est tulliste, de Tulle et, de plus haut encore, d'Auriac, canton de Saint-Privat, aux confins du Cantal. Et, entre Tulle et Brive, s'entretient une vieille animosité, une vieille hostilité, dont j'ai trouvé la trace écrite, clairement exprimée, dans une espèce de guide touristique intitulé *Les Délices de la France,* qui date de 1699. C'était sous Louis XIV, et il y a fort à parier que l'affaire datait déjà de quelques siècles. Tulle y est montrée « d'une humeur bouillante et querelleuse » tandis que Brive est dite « douce et paisible, toujours riante et gaillarde » ; en maintes circonstances, on peut constater que « la jalousie de ces deux villes est si grande qu'il n'est pas possible de le croire » : « Têtes de courges ! », lancent les

Tullistes ; « Menteurs, voyous ! » répliquent les autres. Ancestrale querelle dont les échos ne sont pas éteints, et dont nous nous plaisons à ranimer les braises en certaines circonstances bien arrosées. Les rencontres sportives en sont encore l'illustration. On se croirait aux premiers temps de Rome : il doit y avoir là-dessous quelque enlèvement de Sabines).

Donc, en 1980, ils sont trois. Ce n'est pas fini : en 1984, Christian Signol (un Briviste), en 1989, Gilbert Bordes (un Tulliste) les rejoignent. Maintenant, ils sont cinq, et chacun, ou peu s'en faut, publie un livre par an. À la Foire du Livre de Brive, qui a pris un nouvel essor en 1981 et s'est affirmée comme la première foire du livre de France dans les années suivantes, ils apparaissent comme un groupe uni par l'amitié, qui fait leur force, et elle est considérable. C'est alors que naît l'appellation : École de Brive. J'y reviendrai.

Moi, plutôt que groupe, plutôt qu'école, je dis *bande.* Parce que j'ai l'esprit de bande, parce que j'ai éprouvé qu'on n'est heureux qu'en bande, qu'on ne gagne qu'en bande. Vieille résurgence gauloise, et de bien plus loin encore quand, hors du clan, il n'y avait pas de salut. Et puis en bande, avec des compagnons choisis et, à l'occasion, avec les femmes et les enfants et même les petits-enfants — et le chien noir de Denis et le teckel bavard de

Michel —, on festoie : on boit, on rit, on déconne (nous sommes très doués). On n'est plus seul !

Nous avons ainsi nos grandes fêtes païennes : une fois chez l'un, une fois chez l'autre, et de plus en plus à mesure que la bande s'enrichit. Ce sont de vraies fêtes familiales où nous nous amusons comme des fous, parce que nous sommes heureux d'être ensemble. Les idées, la littérature, les livres, tout cette aventure menée en commun, ne suffisent pas à faire une bande : il y faut aussi une certaine conception du bonheur, un certain appétit à dévorer la vie, avec excès même. Et c'est pourquoi certains de nos compagnons, qui ont fait avec nous un bout de chemin, se sont éloignés : ils ne célébraient pas les mêmes dieux que nous. Nous les trouvions tristes, ils nous trouvaient « pas sérieux ». Très bien — ou très mal. Ainsi, Christian Signol nous a quittés. C'est que, outre des raisons plus triviales, il n'était pas de la même famille que nous : l'idée même de bande lui était insupportable ; il se voulait seul. Très bien — ou très mal. On verra. Je ne parlerai donc plus de lui dans la bande et dans l'École de Brive, quelque estime que je garde pour les livres qu'il nous a confiés, des *Cailloux bleus* à *La Rivière Espérance* et à *L'Enfant des terres blondes*. Il a suivi son naturel ; nous, nous suivons le nôtre, le plus joyeusement possible.

En 1989, j'ai publié *L'Angélus de minuit,* de Gilbert Bordes, bientôt suivi du *Roi en son moulin* et de *La Nuit des hulottes.* Gilbert, pour mes amis, n'était pas un étranger : Peyramaure et Tillinac, au moins, le connaissaient, car il était journaliste comme eux : fin pêcheur de truites (en Corrèze, c'est un titre de noblesse), il était quelque chose comme rédacteur en chef adjoint du magazine *La Pêche et les poissons*. Et puis, il était de chez nous : d'Orliac-de-Bar, village obscur des environs de Tulle... Je souhaitais qu'il entrât dans la bande. Mais n'entre pas dans la bande qui veut, ni que je veux : on n'y est accueilli, reconnu, intronisé que si tous les autres sont d'accord. On ne se consulte même pas, la chose se fait spontané-ment (ou ne se fait pas, ne se fera jamais : affaire d'affinités) ; il suffit de deux journées passées ensemble sur le stand Robert Laffont, à la Foire du Livre pour juger l'animal : oui, on peut jouer ensemble. Quand l'impétrant a été invité à nos fêtes familiales, chez Claude, chez Denis, chez Michel et chez moi, et qu'il s'y est « honnête-ment » comporté, il n'y a plus de doute : il est de la bande. Et, dès cet instant, la bande mani-feste sa solidarité ; partout, en toutes circons-tances : lors des foires ou fêtes du livre (il y en a partout en France, à en avoir le tournis), auprès des journalistes, à la radio, à la télévision : chacun parle de soi et de son dernier livre, comme il est naturel, et parle aussi des autres : les amis de l'« illustre » École de Brive – je dis « illustre » comme le faisait Molière de sa troupe : « l'Illustre Théâtre » ; c'est si beau « l'Illustre Théâtre », et si émouvant.

Car, dans l'intervalle, en 1984 ou 1985, alors qu'on n'était encore que quatre, le groupe avait été remarqué, identifié et baptisé par Jacques Duquesne : « l'École de Brive » – ces « écrivains du terroir » qui renouaient avec la grande tradition romanesque et populaire du XIXe siècle. La formule était trop belle pour que nous ne nous en emparions pas et ne l'inscrivions pas sur notre drapeau.

Il faut le dire : il n'y aurait pas eu d'École de Brive s'il n'y avait pas eu la Foire du Livre de Brive. Elle fut pour nous un tremplin extraordinaire, le lieu et l'occasion de notre manifestation. Elle avait connu sa préhistoire, pauvre et hasardeuse, sous les structures métalliques du marché de la Guierle – la Guierle, c'est pour Brive sa place de la Concorde et son forum des Halles –, et c'est alors que j'avais rencontré Michelet grâce à Peyramaure. Au bout de trois ans, elle s'était éteinte, faute de moyens sans doute, malgré le dévouement des Amis du Livre. Elle avait resurgi en 1981 par le puissant soutien de la municipalité, l'active participation des libraires de la ville et, toujours, le dévouement des Amis du Livre. Et sur un théâtre tout nouveau : une vaste halle close, accolée au marché des fruits, légumes, beurre, œufs, volailles, baptisée « salle Georges-Brassens » – même moqués, on n'est pas rancuniers à Brive – qui, constamment agrandie, accueille, chaque premier week-end de novembre, beaucoup plus de soixante mille visiteurs. Tous les éditeurs de France et de Navarre sont là, les grands, les moyens, les petits, les parisiens et les régionaux. On se presse devant leurs stands, tenus par les libraires de la ville, pour « voir et féliciter », non l'Armée française comme autrefois le 14 juillet sur les Champs-Élysées, mais les écrivains. Ceux qui viennent de Paris sont arrivés le vendredi en début d'après-midi par le fameux « train du livre » où, à peine quittée la gare d'Austerlitz sur le coup de dix heures et demie, on a commencé à festoyer, dans un perpétuel va-et-vient à travers les wagons. Car on se connaît tous, plus ou moins, les écrivains, les journalistes, les éditeurs avec leurs attachées de presse, leurs directeurs commerciaux. Ces dernières années, on y voyait même les membres de l'Académie Goncourt venus annoncer à Brive les noms des auteurs de leur dernière sélection (on n'est qu'à quelques jours du Prix) et même quelques authentiques Académiciens français. Du beau monde qui, à grand bruit, se répand sur le parvis de la gare. Quelques mauvaises langues prétendent que beaucoup, parmi ces illustres, sont éméchés ; c'est faux : nous savons quelles hautes valeurs nous représentons, et puis nous savons boire. C'est seulement la joie de fouler le pavé briviste qui illumine les visages.

Si la foire ouvre ses portes dès l'après-midi du vendredi, c'est le samedi et le dimanche qu'elle bat son plein. Et là, il y a foule, et chaque année davantage. On y vient en famille (l'entrée est gratuite), de Brive et des environs, de la ville et de la campagne, et de bien plus loin encore, de tout le Sud-Ouest. Nous qui habitons les villages et les bourgs, nous les voyons venir vers nous, nos commerçants, nos artisans, nos agriculteurs et, figurez-vous, ils achètent nos livres ! Pour une poignée de main, un sourire, un brin de causette, une dédicace. On dirait qu'ils sont fiers de nous ! Et nous, nous sommes fiers d'eux. Ils sont venus, c'est cela qui est important : ce sera certainement l'unique fois de l'année où ils auront l'occasion de prendre un livre en main, de le feuilleter, d'en estimer la densité. Ils hésitent rarement : on ne va pas regagner Branceilles sans le dernier livre de Colette (Colette Laussac) qu'on a connue haute comme trois pommes, ni Orliac-de-Bar sans celui de Gilbert Bordes avec qui on est allés à la pêche... Ces lecteurs-là, jamais ils n'entreraient dans une librairie (est-ce qu'on pousse la porte d'un salon de thé lorsqu'on est de la campagne ?), mais ici, dans cette atmosphère de foire, on est entre soi et tous égaux : on prend un livre et on l'achète, rien de plus simple. Telle est la vertu des foires et fêtes du livre : les livres sont dans la rue.

Dans l'histoire de la Foire de Brive, notre part n'est pas mince. D'entrée, alors qu'elle renaissait, en 1981, et qu'elle balbutiait, comme il est normal, nous constituâmes un noyau ferme et rassurant. Michel Peyramaure, Claude Michelet, Denis Tillinac, les gens les connaissaient : on savait qu'ils étaient de chez nous. Avec plus de dix romans — dont ses deux trilogies : *La Passion cathare* et *La Lumière et la boue* —, Michel offrait un large éventaire. Claude n'était plus seulement l'auteur de *J'ai choisi la terre,* mais aussi celui, célèbre depuis le prix des Libraires, des *Grives aux loups* et des *Palombes ne passeront plus* — et puis, à Brive, les Michelet comptent : Edmond Michelet, le père de Claude, grand résistant, déporté, plusieurs fois ministre du général de Gaulle, y a son musée, son buste, sa place. Denis Tillinac attirait les gens de Tulle et, allez savoir pourquoi, les jeunes filles. On vit que nous formions un groupe d'amitié, et qu'il rayonnait. D'autre part, de retour à Paris, je fis savoir dans toutes les maisons d'édition (qui n'étaient pas venues nombreuses, cette première année-là), qu'un événement s'était produit, là-bas sur les rives de la Corrèze, et qu'il importait que, désormais, tout le monde, éditeurs et écrivains, y participent. L'affaire était lancée ; la boule de neige, d'année en année, n'allait cesser de grossir, jusqu'à atteindre la taille qu'on lui connaît aujourd'hui. Elle nous emportait dans sa course.

L'affluence, devant notre stand, ne cessait de croître, d'autant plus que, devant chacun de mes amis, chaque année apportait un nouveau livre. Peyramaure, le plus riche en titres proposés, signait debout derrière un véritable rempart de livres, sans souffler un instant. De même Michelet, quand la trilogie des *Promesses du ciel et de la terre* se fut ajoutée aux *Grives* et aux *Palombes* et à ses romans précédents (dont le très beau *La Grande Muraille*) que nous avions réédités – le sommet fut atteint par lui en 1990 lorsqu'il signa en deux jours plus de 1 900 exemplaires de *L'Appel des engoulevents* (record historique, jamais égalé en aucune manifestation littéraire du monde civilisé) ; il était épuisé : de temps en temps, nous fendions la foule compréhensive et amusée et je l'entraînais vers le bar, où un whisky le requinquait. Nous connûmes ainsi de grands moments : une autre année, Christian Signol avait dédicacé 1 200 *Marie des brebis*. Tillinac « travaillait » beaucoup moins : il est vrai qu'il passait la moitié de son temps à batifoler à travers la foire et que ses romans n'ont pas grand-chose de rural, même s'il ne cesse d'y parler de la Corrèze – sans laquelle il ne peut vivre –, la gare d'Austerlitz, où l'on prend le train pour Brive, est l'un des hauts lieux de son œuvre.

Qu'est ce que ça signifie, tout ça ? Deux choses.

La première – mais ce n'est pas la plus importante à mes yeux –, c'est que les vrais lecteurs, ceux qui aiment lire, en avaient par-dessus la tête du terrorisme intellectuel parisien qui avait imposé, dans les années 50 et 60, la dictature du « nouveau roman ». Marre des histoires immobiles, des personnages désincarnés, d'une langue figée qu'aucun sang n'irriguait, qu'aucun souffle ne soulevait. Ça avait fait des livres qui tombaient des mains, qui dégoûtaient de la lecture les gens les mieux intentionnés. Pourtant, Dieu sait qu'ils étaient honorés, alors, ces romans-là ! Les jurys des « grands prix », soucieux de ne pas manquer le dernier bateau, se battaient pour les couronner. Ce fut une vague de snobisme, une mode triste. Oui, mais... Mais les lecteurs aiment la vie, les personnages vrais, les sentiments naturels. Et ils n'aiment pas qu'on les trompe, qu'on se moque d'eux.

Et voici la seconde chose, qui est profonde, qui tient à la réalité de ce peuple, le nôtre. Gens de la ville ou de la campagne, de la province ou de Paris, nous sommes tous à quelque degré, plus ou moins lointainement, des fils de paysans. Ce sont eux, les paysans, qui sont morts, entre 1914 et 1918, pour assurer ce que l'on a appelé la victoire – ne manquez pas, lorsque vous traversez un village de vous arrêter au monument aux morts : trente, quarante noms s'y alignent, pour des bourgs de rien du tout qui ne comptaient pas cinq cents habitants ; c'est un hommage qu'on leur doit – eux, ou leurs frères ou leurs cousins déjà venus à la ville. Cela est en nous, c'est notre vérité.

Alors, lorsque des écrivains demeurés proches de la terre nous parlent de ce passé si intime, nous tressaillons. Leurs personnages, ce sont nos parents, nos grands-parents, nos arrière-grands-parents, et ainsi jusqu'au fond des âges – Claude

Michelet nous raconte cela, cette saison, dans son *Histoires des paysans de France*. Dans leurs romans, nous nous reconnaissons, reconnaissant les nôtres — « Oui, c'est vrai. Mon grand-père me disait... ». Il ne faut pas chercher ailleurs l'immense succès des *Grives aux loups*. La vie circule, dans ces livres-là, avec toutes ses ardeurs. On y naît, on y grandit, on y aime, on y travaille, on y construit, on y fait des enfants qui font des enfants, on y vieillit, on y meurt. C'est plein de naissances et de deuils, de conflits et de fêtes. La vie, quoi ! La vie de nos pères. Nos racines, sans lesquelles nous ne sommes pas grand-chose.

Or, il advint que, dans les années 60, 70 et 80, et de plus en plus au fil des ans, les Français s'intéressèrent à leurs racines ! Plus ils devenaient citadins, plus ils se tournaient vers leurs origines, comme pour boire à la source. C'est un mouvement de retour qui est de tous les temps et de toutes les civilisations, par lequel le présent et le passé s'embrassent.

(Parenthèse, en manière d'illustration : on ne peut imaginer aujourd'hui l'ampleur et la profondeur de l'influence de Giono dans les années 38/39/40. *Regain, Un De Baumugnes, Les Vraies Richesses, Que ma joie demeure* furent pour les garçons de ma génération une véritable Bible : un homme au verbe admirable se dressait pour nous dire que la vraie vie, la vie naturelle, était ailleurs, sur les plateaux ingrats de la haute Provence. Dans ces années de violence et de terreur, une lumière se levait, comme jadis en Galilée. Nous étions tous prêts à partir pour Manosque, nous préparions notre sac : nous serions bergers, pauvres mais libres... Ce fut un grand élan, que la guerre étouffa. Au moins, avions-nous rêvé... Ce rêve-là, le retour à l'innocence, ne nous quitte jamais. Il se transmet de génération en génération : on l'a bien vu, au lendemain de mai 1968. En général, ça finit mal. Ce n'est pas grave. Il renaîtra.)

Toujours est-il que les Français regardaient vers leur passé et qu'ils y découvraient des vertus oubliées. Des phénomènes sociaux accéléraient le mouvement : les retraités, de moins en moins vieux, retraitaient dans leur village d'origine ; les cadres (et d'autres) acquéraient des résidences secondaires qui les rapprochaient de la province et de la terre. Bref, la sensibilité générale changeait. « La France profonde », comme on commença à dire alors, sortait de son obscurité pour devenir la France d'aujourd'hui.

Sans ce puissant remuement dans la sensibilité et le comportement des Français, il n'y aurait pas eu cette espèce de petite révolution littéraire à laquelle nous avons assisté et dont nous, les gens de Brive et des alentours, avons été le très actif agent.

Bien entendu, d'autres avaient frayé la voie. Sans remonter au déluge, Pierre Jakez-Helias, éminemment, avec son *Cheval d'orgueil.* Mais dès 1956, Georges-Emmanuel Clancier, un Limousin lui aussi, avait publié *Le Pain noir.* Paraissant, trente ans plus tard, au plus fort de la vague qui portait *Des grives aux loups* et *Les Cailloux bleus,* ce livre admirable, œuvre d'un poète autant que d'un romancier, eût connu une audience considérable. Mais voilà : en 1956, les Français, qui se dégageaient à peine de l'ombre portée de la guerre, n'étaient pas prêts à l'accueillir : ils se souciaient du présent, encore difficile, et non de leur passé – question de « sensibilité générale ». (Cela dit, parce que seule la qualité de l'œuvre importe, *Le Pain noir,* souvent réédité, est devenu un classique). Bernard Clavel est, lui aussi, pour nous tous un modèle. Son univers, de *L'Espagnol* à *La Grande Patience* (dont le tome IV, *Les Fruits de l'hiver,* reçut le prix Goncourt en 1968), et aux *Colonnes du ciel,* sans compter ce qui a suivi et ce qui viendra encore, s'impose par sa puissance romanesque et sa rigueur morale – et la morale, je n'ai pas encore eu l'occasion de le dire, est, pour nous tous, la valeur essentielle. Nous sommes de droite, nous sommes de gauche, athées ou catholiques pratiquants ; aucune importance. Ce n'est jamais un débat entre nous. Nous sommes fils de la même culture, et le mot « morale » ne nous fait pas peur.

Autre considération, qui rejoint la précédente : dans les époques d'incertitude, de doute, de crainte, on se tourne volontiers vers le passé pour y trouver assurance. D'où la faveur dont jouissent les ouvrages qui s'attachent à ressusciter l'Histoire, les études comme les romans. C'est sur cette terre que poussent les romans de Michel Peyramaure, avec l'abondance et la vigueur que l'on sait : de la préhistoire à la fin du XIXe siècle, mettant en scène grands personnages et menu peuple, il a fait de son œuvre l'une des plus vastes fresques historiques de notre littérature et il continue, il continuera jusqu'à son dernier souffle. Digne héritier de l'auteur des *Trois Mousquetaires,* il a reçu, il y a déjà bien des années, le prix Alexandre-Dumas. On n'en attendait pas moins.

À propos des prix... Nous n'avons jamais eu le Goncourt ; vraisemblablement, nous ne l'aurons jamais, parce que les livres de mes amis relèvent de la littérature « populaire », et que ça ne fait pas chic et encore moins « intello » – au fait, Giono a-t-il jamais eu le Goncourt ? Je ne le crois pas. Il est vrai qu'il vivait dans son trou de Provence, venait rarement à Paris et que *Le Hussard sur le toit,* par exemple, est une œuvre mineure !

En revanche, les romanciers de l'École de Brive obiennent les prix qui sont tout proches du public et qui expriment ses goûts profonds : le prix des Libraires (Claude Michelet), le prix des Maisons de la Presse et le prix RTL/Grand public (Gilbert Bordes) ; et ceux qui touchent à la vie rurale : le prix

Olivier de Serres, le prix Terre de France /*La Vie* / La Poste, qui nous est venu de Vendée avec notre ami Yves Viollier et qui se décerne désormais à la Foire de Brive. Le plus pittoresque de ces prix-là, qui est donné au Salon de l'Agriculture à Paris, est le prix de la Corne d'or limousine, dont la récompense est un taureau. Un vrai taureau limousin, une bête de sélection, superbe ! Signol, Bordes, Viollier l'ont gagné. Comme un taureau, c'est difficile à faire vivre dans un appartement ou un jardin, on l'échange contre un chèque de la valeur de l'animal. Dommage. Sur les terres de Marcillac, ces bêtes-là eussent fait merveille ; nous serions aujourd'hui à la tête d'un immense troupeau. Mais Claude s'est séparé de ses vaches. C'est regrettable.

Faute d'exporter les vaches de notre troupeau imaginaire, nous aimerions bien exporter nos livres en plus grand nombre, mais c'est difficile. C'est généralement difficile pour le roman français qui n'intéresse guère l'étranger et pas du tout les États-Unis, un peu plus encore pour nous, qui sommes si « vieux Français ». Mais enfin, de temps en temps, une bonne nouvelle nous parvient. Les Polonais ont traduit *Les Chemins d'étoiles* de Signol ; les Italiens et les Espagnols *La Grande Muraille* de Michelet ; les Argentins *Les Promesses du ciel et de la terre* pour toute l'Amérique latine ; les Anglais la trilogie des *Grives au loup* — je ne suis pas sûr que le titre du premier tome : *Firelight and*

Woodsmoke, parle de grives et de loup ; en revanche, le sous-titre est très clair : *A Saga of Provincial France,* on ne saurait mieux dire. Les Chinois aussi ont traduit les *Grives* : c'est un peuple de paysans. Michel Peyramaure est le plus traduit : *Le Bal des ribauds, L'Aigle des deux royaumes, Divine Cléopâtre* en Allemagne ; *Divine Cléopâtre,* encore, en Suède, au Brésil, en Espagne ; en Espagne, les trois romans pour adolescents publiés dans « Plein Vent », et au Portugal ; en Pologne, enfin, *Le Printemps des pierres.*

Quelquefois même, nous entrons dans les universités étrangères : vient de nous parvenir une étude fort savante et attentive de James Dryhurst sur *La Grande Muraille* et l'œuvre de Michelet en général, publiée par l'université de Glasgow. Et dans ses numéros de mai 1995 et mai 1996, *The French Review,* éditée par l'université d'État de Floride, accorde à l'École de Brive sa juste place dans la production romanesque française des années 94 et 95... Ça fait plaisir.

Ceci encore : La Foire du Livre de Brive jumelée à la Foire du Livre de Montréal. Cet automne-ci, en novembre, l'École de Brive est invitée à Montréal. Quelques-uns d'entre nous s'y rendront, histoire de dire à nos amis québécois que, nous, nous ne les avons pas oubliés dans leurs neiges et que ce que nous écrivons devrait, nous semble-t-il, résonner très fort dans leur cœur.

Après ces divagations, ces réflexions et ces voyages, je reviens à l'essentiel : les écrivains. Autour de l'année 90, la bande comprend cinq membres : Peyramaure, Michelet, Tillinac, Bordes et Signol (qui va nous quitter, comme je l'ai dit) — donc, aujourd'hui, du noyau originel, quatre demeurent. Et voici que, par effet d'attraction, de rayonnement, d'autres nous rejoignent.

Sans souci de la chronologie, je citerai d'abord Colette Laussac, parce que, elle aussi, est corrézienne. Et même de Branceilles, village immédiatement voisin du mien. Colette, que nous adorons tous, et même nos femmes, est vraiment une gamine de Branceilles ; par ailleurs, elle vit à Toulouse où elle enseigne le droit. Ce petit bourg (deux cents habitants) est la source de son inspiration : à tout moment, elle vient s'y désaltérer et s'y nourrir (spirituellement, bien sûr). Branceilles, fut autrefois riche en truffes : elle en a tiré un récit, *Le Sorcier des truffes,* que nous avons publié dans la collection « Mémoire vive », chez Seghers. Elle achève un roman — très « École de Brive » — qui doit beaucoup à son village. Curieuse, voyageuse, elle s'est intéressée aux Cathares (*Le dernier bûcher*) et aux Dogons (*La falaise qui chante*). Elle est entrée de plain-pied dans la bande : elle est de chez nous.

Ce n'est pas le cas d'Yves Viollier, qui est vendéen. Les Limousins et les Vendéens n'ont pas toujours entretenu de bonnes relations ; une bonne part des bleus, qui finirent par réduire le soulèvement vendéen, en 1793, étaient originaires du Limousin (on ne leur avait pas demandé leur avis). En même temps, la Vendée est légendaire : cette guerre civile fut grande... C'est Bernard Clavel, il y a bien des années, qui avait attiré mon attention sur Viollier, lequel m'avait adressé alors un ou deux manuscrits que je lui avais refusés. Je n'avais peut-être pas tout à fait tort, puisqu'il ne m'en a pas voulu. Il est réapparu chez Robert Laffont en 1988 avec *Jeanne la Polonaise,* très belle histoire romanesque en trois volumes. Nous avons beaucoup travaillé ensemble sur le tome 2 ; nous avons découvert ce que nous avions en commun. C'était exactement les sentiments et les valeurs que nous partagions tous, dans la bande. Aussi est-il venu à Brive, à la Foire, apportant dans ses bagages le prix Terre de France/*La Vie*, et ainsi est-il devenu, tout naturellement, l'un d'entre nous. Avec *Les Pêches de vigne* (1994), c'était fait : il était « le Vendéen de l'École de Brive ». Mieux encore avec *Les Saisons de Vendée.*

Et nous avons notre Creusois : Jean-Guy Soumy. Il est le plus grave et le plus sérieux d'entre nous — il faut dire qu'il est professeur de mathématiques à l'IUFM de Limoges, ce qui ne porte pas à la rigolade (mais nous l'aimons aussi pour ça : sa rigueur, et sa gentillesse). Ce n'est pas un étranger ; il est de la région Limousin, comme nous, la plus pauvre de France – les provinces les plus pauvres produisent le plus grand nombre d'écrivains et d'hommes politiques : les mots, ça ne coûte rien. À l'origine, Claude Michelet, qu'il avait rencontré, l'avait encouragé à écrire. Puis il s'est lié d'amitié avec Michel-Claude Jalard, éditeur chez Robert Laffont qui passe ses vacances en Creuse, qui l'a conseillé. Et avec moi. Ça a donné *Les Moissons délaissées* (trois tomes), qui l'ont imposé. Il est de la famille. Il se veut tellement de la famille qu'il vient d'acquérir une terre à Collonges-la-Rouge, à quatre kilomètres de chez moi, à sept de Branceilles (Colette), à quinze de Marcillac (Claude), à vingt de Brive (Michel). Pour un homme de la Creuse, belle, mais sombre et froide, le pays de Brive, c'est la Provence.

Voici enfin Martine Marie Muller. Elle vient tout juste de franchir le seuil de l'École. Elle est professeur dans la région parisienne, mais d'origine béarnaise. Avec elle, j'ai découvert que le Béarn était un pays de sauvages – c'est, du moins, l'image qu'elle en donne dans *Terre-Mégère, Les Amants du Pont d'Espagne* et, bientôt, *Froidure, le dernier berger*. Elle-même est sauvage, toute en éclats, violente et gaie. Ce n'est pas une mauvaise sauvage, dans le fond. Nous finirons bien par l'apprivoiser, pas trop – d'ailleurs, c'est impossible.

On le voit, à partir de la Corrèze, de Brive et de Tulle, nous avons conquis quelques provinces. On parle de notre impérialisme. Qu'on se rassure : nos ambitions ne sont pas territoriales. Nous avons des ambitions, oui, mais elles ne sont pas de cet ordre. Nous souhaitons seulement exprimer, avec toujours plus de force, « cette terre qui est la nôtre », comme dit Michelet, ce pays-ci, où nous vivons.

Deux remarques avant de finir.

Au passage, vous avez peut-être noté le nombre de journalistes et de professeurs qu'on trouve dans nos rangs. Journalistes : Michel Peyramaure, Denis Tillinac, Gilbert Bordes, Yves Viollier (qui est critique littéraire à *La Vie*). Professeurs : Colette Laussac, Martine Marie Muller, Jean-Guy Soumy, Yves Viollier... Pourquoi ? Parce que, pour savoir écrire, il faut avoir beaucoup lu, beaucoup écrit, beaucoup « couché avec les mots », comme dit l'un d'entre nous (je crois que c'est moi). Pour écrire, il faut un certain don, (ça, c'est donné au berceau : on n'y peut rien) ; du savoir-faire (le métier, ça s'acquiert) ; enfin, avoir quelque chose à dire : c'est la moindre des choses − cependant, on remarque que bien des gens qui n'ont pas grand-chose à dire écrivent et publient, parce qu'ils ont un certain don et du savoir-faire ; en général, ça ne va jamais très loin.

Ce que j'admire, chez mes amis de l'École de Brive, c'est la régularité de leur production (voir plus loin, la bibliographie de chacun d'eux). Voilà des gens qui ont femme ou mari, enfants, maison, métier, et qui trouvent encore le temps − au péril de leurs loisirs et de leurs nuits, sans doute − d'écrire des livres, au rythme de un, voire deux, par an ! Quelle discipline ! Quelle foi ! Et quelle patience et quelle abnégation de la part des leurs !

Ils ont le diable au corps − le diable de l'écriture, l'un des plus implacables.

Sur quoi, je m'arrête ; moi aussi, je trouve que c'est très difficile d'écrire.

Surtout sur ses amis.

J. P.

Ses acteurs

MICHEL PEYRAMAURE

Écrire comme l'on respire

© Serge Bruch

Dans tous les sens du terme, mon goût pour le roman historique est une vieille histoire. Mes premières amours littéraires se sont développées dans le cadre de l'Antiquité.

Cette passion fut précédée par celle de l'expression graphique : le dessin, pour faire plus simple. Sous l'égide de deux petites fées : les filles de la boulangère et de l'épicière, l'enfant malade que j'étais trois mois sur douze jouait à dessiner des fleurs, des oiseaux, à reproduire des caricatures d'hommes politiques et des bandes dessinées puisées dans *L'Épatant, L'Intrépide* et *Cri-cri*.

Je manifestais du goût pour le dessin et le coloriage, mais l'écriture n'allait pas tarder à prendre le relais et à devenir une passion exclusive.

Ces deux tendances se combinèrent dans un roman illustré, d'inspiration homérique. Le héros, Thémos, chevauchait entre Athènes et Sparte sous l'uniforme des légionnaires romains, combattait au glaive et au pilum des cyclopes morphologiquement apparentés au Polyphème de l'*Odyssée,* des cavaliers scythes et des monstres marins. Les vents de l'aventure qui poussaient Thémos vers les rivages de l'Asie tombèrent brusquement à la suite d'une crise d'asthme, laissant la nef de mon héros en panne au large. Ils y sont encore.

Non sans regret, je laissai mes crayons de couleur pour le stylo et commençai un autre roman mythologique qui ne franchit pas le cap de la première phrase, comme le fameux *PC des généraux* de mon ami Antoine Blondin : *« La montagne pleine de dieux attendait le jour... »*. Le jour attendu ne se leva jamais.

D'autres velléités devaient succéder à ces tentatives avortées, mais une autre passion allait traverser en rafale les années d'avant le « certif » : celle de la lecture.

Une passion, certes, mais aussi une sorte de mal incurable, de « vice impuni » pour reprendre l'expression de Valery Larbaud.

L'imprimerie que mon père dirigeait à Brive, avenue de Paris, avec pour activité principale l'édition de périodiques : *Le Mutilé, La Trique, La Corrèze républicaine et socialiste* notamment. Ce dernier hebdomadaire, qui paraît encore de nos jours, offrait en prime à ses abonnés des invendus d'ouvrages rachetés à prix réduit à des maisons d'édition parisiennes. Le jour où je découvris la réserve entreposée dans les caves de l'imprimerie, j'eus le sentiment d'avoir pénétré par effraction dans la caverne d'Ali Baba ou dans le jardin des Hespérides.

Il y avait là de quoi satisfaire toutes les faims, toutes les soifs. Le catalogue allait du recueil de poèmes à l'essai philosophique, en passant par le document historique et le roman. Je déclouai des caisses, éventrai des colis, fouillai, grattai dans cet humus de laissés-pour-compte, déterrai des merveilles d'orpailleur. Ah ! le *Lilulli* de Romain Rolland illustré de bois gravés de Franz Masereel, le *Toda Raba,* roman soviétique de Renaud de Jouvenel, *Les Dictateurs* de Jacques Bainville, *La Morale sociale* de Benoît Malon... Comme disait ma mère en parlant des boulimiques, je « faisais ventre de tout »... même des romans érotiques d'une certaine Renée Dunan.

C'est dans cette fièvre de lecture que je traversai les années du certif, m'y prenant à deux fois pour décrocher le pompon.

Une autre maladie de bonheur m'attendait au carrefour où l'enfance et l'adolescence mêlent leurs eaux fiévreuses : la poésie. Je fis de Victor Hugo une sorte de demi-dieu propitiatoire auquel j'adressais chaque jour un credo en forme de *récitation* – je ne disais pas encore « poème ». J'en couvrais des cahiers, en jetais sur des emballages d'épicerie, des chutes de massicots, sur le moindre bout de papier qui me tombait sous la main. Un espace de feuille vierge suscitait en moi un phénomène de phototropisme qui m'incitait à le recouvrir de mon écriture. L'alexandrin devint très vite la forme prosodique qui m'agréait. Je finis par penser, par parler, par rêver en alexandrins, sans que je puisse m'imputer la moindre faute.

L'exercice de la prose, je le réservais à mon journal intime dont je couvrais des cahiers, et aux articles que je consacrais à *La Corrèze*. Je devais être alors le plus jeune journaliste de France : j'avais douze ans lors de la publication, dans ce même journal, d'un dessin humoristique qui me valut une riposte sous le titre : « Laissez venir à moi les petits enfants. »

Si je dédiais mes alexandrins à Victor Hugo, ma prose allait brouter l'herbe des collines de Manosque. Jean Giono, dont *Que ma joie demeure* m'avait ébloui et *Jean le Bleu* bouleversé, et qui est demeuré mon auteur favori, avait fortement influencé l'écriture de ma première nouvelle : *Moujïk,* qui parut en feuilleton dans *La Corrèze*. Devenu ouvrier imprimeur chez papa, je réalisai avec ce texte un petit ouvrage à tirage très limité. Il dut se vendre à une cinquantaine d'exemplaires dans les librairies brivistes ; on le trouve encore parfois au rayon des occasions.

Au début de la guerre, je composai à la linotype, imprimai et diffusai un recueil de poèmes : *Sèves,* conçu et préfacé par un journaliste de la presse régionale, André Sans, chaque poème étant illustré par un de ces artistes parisiens « repliés » à Brive durant l'Occupation. J'en vendis suffisamment pour m'offrir une bicyclette.

Ma préhistoire littéraire s'arrête là.

Passée la tourmente de la guerre que je traversai entre ma linotype et ma table de travail, je rédigeai un recueil de nouvelles, *Graines d'hommes,* que j'adressai à Robert Laffont. Le directeur littéraire de cet éditeur, Georges Belmont, me répondit que les nouvelles ne l'intéressaient pas mais qu'en revanche un roman...

Comme je n'en avais pas dans mes réserves, j'en écrivis un, plus ou moins autobiographique, et l'envoyai par la poste. En réponse, un contrat. Jubilation...

Lorsque je reçus ce livre édité : *Paradis entre quatre murs,* mon père alla le montrer au personnel de l'imprimerie. Je devenais un personnage.

Nous avons pris, à l'École de Brive, l'habitude de dire d'un roman qui marche mal qu'il doit se vendre à 732 exemplaires. C'est à peu près le chiffre de vente que dut atteindre ce *Paradis* qui n'était en fait qu'un purgatoire.

Le nouveau directeur littéraire de Robert Laffont, Jacques Peuchmaurd, n'avait pas aimé ce livre, et je le comprends. Il me suggéra d'aller fouiller dans le substratum historique de ma province pour en ramener des matériaux romanesques. Une idée qui rejoignait une préoccupation datant de quelques années.

Un beau jour d'avril 1949, alors que ma femme et moi escaladions la pente menant au château de Comborn, un nid d'aigle dominant la sauvage vallée de la Vézère, à quelques portées d'arbalète de Brive, je décidai de fouiller l'histoire de cette race de barons encore barbares aux approches de l'an mil. En redescendant nous nous étions assis à une table d'auberge, au pied du château. Renée, enceinte, avait mal supporté cette ascension et la lourde chaleur de ce printemps. La patronne nous proposa une « soupette » et du jambon. Moment béni... La montagnette corrézienne sentait la violette et le murmure de la Vézère cascadant sous le pont d'Estivaux montait jusqu'à nous.

Ainsi fut conçue l'idée de mon premier roman historique : *Le Bal des ribauds* ; ainsi devait naître, quelques mois plus tard, ma fille, Martine. L'élaboration du roman ne me posa pas de problème mais la naissance de ma fille faillit mal tourner, pour la parturiente comme pour le bébé. Aujourd'hui le roman continue son chemin ; quant à Martine, elle a suivi un itinéraire parallèle au mien : elle est conservateur du Patrimoine et mariée à un écrivain : Jean-Paul Chavent. Cela me fait dire que, dans ma famille, tout le monde écrit, sauf ma femme et mon chien.

Avec le roman historique j'avais trouvé mon chemin de Damas.

Une ambition se fit jour peu à peu en moi : écrire une sorte de « Légende des siècles » sous forme de romans, ou plutôt — Jacques Peuchmaurd dixit — une « Légende de la France ». Aujourd'hui, avec une cinquantaine de volumes dont quatre grandes trilogies, je suis en train de mettre un terme au contrat que je m'étais assigné, un jour d'avril, au bord de la Vézère.

« Pourquoi, me demande-t-on souvent, cette passion quasiment exclusive de l'histoire ? »

Si je ne suis pas un historien à proprement parler — cela demande des études que j'étais incapable d'assumer —, en revanche j'aime l'histoire. Je ne puis échapper au côté événementiel de cette discipline, mais ce qui m'attire dans le traitement des grandes époques du passé, c'est la vie, la couleur, la poésie, l'odeur. Les odeurs de l'histoire... Il est rare qu'on les respire dans un manuel, un document : il faut la deviner, la débusquer sous les événements, les dates, les personnages. Un exercice qui m'est devenu familier. Depuis que je fais l'amour à Clio il ne pouvait en être autrement.

La longue pratique préliminaire de la poésie, qui exige une sensibilité à fleur de peau, m'a aidé et m'aide encore dans cette quête de la réalité humaine dissimulée sous les structures figées de l'histoire. Je suis moins attiré par les galeries de portraits, les défilés militaires, les scènes de genre que par le détail vrai que l'on détecte pour ainsi dire au ras du sol : un petit chien qui gambade, la table d'un banquet, la grimace d'un soldat blessé sous son cheval abattu, les mines des courtisans lors d'une « danserie » du Louvre...

Poussant plus avant l'analyse de cette propension pour les sujets historiques, je puis dire que le passé constitue pour moi un refuge, car je n'aime pas l'époque dans laquelle je vis, l'exacerbation de la folie à laquelle elle est en proie, la déshumanisation des révolutions et des guerres où l'homme compte moins que le matériel, où l'on massacre des milliers d'innocents en appuyant sur un bouton.

L'auteur prolifique que je suis s'est donné le choix de plusieurs pistes. L'histoire, bien entendu, qui est ma préoccupation essentielle ; mais encore le roman de terroir où se complaisent mes amis de l'École de Brive (un environnement littéraire particulièrement riche) ; le roman d'aventures dans des contrées lointaines comme le Canada, la Louisiane, les mers du Sud ; les publications touristiques, celles, du moins, qui laissent l'auteur explorer l'analyse poétique, les paysages et les hommes.

L'écriture, j'aime à le proclamer, est pour moi une respiration. Contraint d'abandonner pour un temps ma machine à écrire − je ne travaille pas sur ordinateur et m'en trouve fort bien −, j'ai l'impression de vivre en apnée. J'aime de moins en moins les vacances, celles qui m'infligent une coupure draconienne dans le processus d'élaboration d'un roman : cela me donne le sentiment pénible de vivre en exil, loin d'un grand amour.

M. P.

Michel Peyramaure est né un dimanche de l'année 1922, à l'heure de midi, au Théâtre municipal de Brive où sa grand-mère paternelle occupait la loge de concierge. Un jour, une heure, un lieu qui n'anticipaient guère sur sa nature et ses goûts futurs ; il a horreur des jours de repos, des dimanches et des fêtes ; s'il aime passer à table à midi précis, il n'a rien d'un gastronome : le théâtre et les arts lyriques ne sont pas sa tasse de thé mais plutôt son bol de tilleul – il somnole avec Le Cid *ou* Huis clos *et s'endort carrément avec* Manon *ou* Tosca.

Avant la dixième année ses nourritures favorites étaient le dessin et la lecture : l'écriture n'allait pas tarder à prendre le relais.

Anarchiste converti au socialisme par nécessité sociale, son père, Alfred Peyramaure, maître imprimeur, dirigeait à Brive une entreprise de presse et de labeur. Le jeune Michel devait y côtoyer très tôt des journalistes. La découverte, dans les caves de l'imprimerie, d'une réserve d'ouvrages servis en prime aux lecteurs des périodiques, déclencha en lui une frénésie de lecture, sans le moindre souci d'éclectisme.

Des reportages et des comptes rendus, une amorce d'épopée historico-mythologique illustrée, des nouvelles, des poèmes devaient suivre sans discontinuer. Devenu, passé le temps du collège, ouvrier polyvalent à l'Imprimerie nouvelle, il put composer et imprimer lui-même ses premières œuvres : des poèmes dans le style d'Aragon, d'Éluard, de Pierre Emmanuel, ses maîtres en poésie, ainsi qu'une nouvelle, Moujik, *imprégnée de son admiration pour Jean Giono, avec un zeste d'érotisme en plus.*

Avec Louis Perche pour rédacteur en chef, il composa et imprima à temps perdu, durant deux ans, une revue littéraire qui publia des textes inédits de Georges-Emmanuel Clancier, Henri Pourrat, Jean l'Anselme, Léonce Bourliaguer, Jean Rousselot...

Son métier d'imprimeur allant de pair avec sa vocation littéraire, il lui arrivait souvent d'improviser directement à la linotype des articles de critique, des paroles de chansons et des poèmes. Un premier roman, Paradis entre quatre murs, *publié par Robert Laffont en 1954, connut un succès plus que modeste. L'année suivante, chez le même éditeur, paraissait un premier roman historique,* Le Bal des ribauds *qui, depuis, a été constamment réédité. La production littéraire de Michel Peyramaure se monte aujourd'hui à une cinquantaine de volumes pour la plupart des romans historiques entrant dans la composition d'une sorte de « Légende des siècles » romanesque.*

Outre ces fresques historiques, Michel Peyramaure a publié des romans d'aventures, des ouvrages à caractère touristique et, récemment, un livre de souvenirs.

Journaliste, il a collaboré à divers journaux à titre professionnel, après avoir abandonné l'imprimerie : notamment Centre-Presse, Le Populaire du Centre *et* La Montagne. *Aujourd'hui à la retraite à Brive, sa ville natale, entre son épouse Renée, et son teckel Émile, il* continue à écrire des romans, des livres de terroir, des articles, des préfaces... Il aime à dire que l'écriture est pour lui plus qu'une habitude : une nécessité, et mieux qu'un passe-temps : une raison de vivre.

Michel Peyramaure travaille actuellement pour les éditions Robert Laffont à une nouvelle trilogie, la cinquième, qui aura pour cadre la France de la Renaissance et pour personnage central Henri IV.

CLAUDE MICHELET

Le bel automne

© A. Aubournel/Opale

Il faisait un temps à ne pas mettre un éditeur dehors et, à plus forte raison, un lecteur normalement constitué ! Car Dieu qu'il faisait froid et humide sous ce hall, style hangar pompidolien, où se pressaient, trois fois par semaine pour vendre leurs carottes et leurs poireaux, les gaillardes chantées par Brassens.

Habituellement ouvert à tous vents, le bâtiment était paré, pour l'occasion et dans l'espoir d'arrêter les frimas et les ondées, de quelques vieilles bâches à l'abri desquelles deux douzaines d'écrivains suçotaient leur stylo dans l'attente du chaland...

Car il y avait même des écrivains en cette sombre journée d'automne qui se flattait du titre, un brin pompeux, de Foire du livre de Brive !

En effet, pour la deuxième année, une poignée de lecteurs impénitents, regroupés sous le nom : « Les Amis du livre » qu'animait alors Georges Deswel, passionné de lecture et relieur de son état, essayaient, contre vents et marées et surtout contre le scepticisme goguenard des notables et élus du cru, de donner à leurs concitoyens le goût de la lecture en leur apportant sur un plateau ceux qui sont censés la faire vivre : les auteurs et les éditeurs.

Des romanciers, il s'en trouvait donc quelques-uns, malgré la pluie, des courageux ! Des hommes et des femmes héroïques que n'effrayaient pas plus le vertige de la page blanche que le peu d'em-pressement mis par les Brivistes à venir faire signer quelques ouvrages... Une exception pour-tant devant le stand où officiait notre célébrité cor-rézienne, Michel Peyramaure, qui était depuis longtemps connu bien au-delà du Limousin puis-qu'il avait déjà commis une bonne douzaine de romans − sinon plus − et d'excellents. Et Peyramaure, lui, malgré le peu d'animation de cette foire et un temps exécrable, signait, sinon à tour de bras, du moins à un rythme honnête, beaucoup plus honorable de toute façon que l'en-semble des autres romanciers présents, dont j'étais. J'avais fait la connaissance de Peyramaure en 1965 lorsque, jeune romancier débutant et me piquant de culot, je lui avais apporté mon tout premier ouvrage dans cette espèce d'antre assez sordide où il s'emballait sur une vieille machine à écrire comme journaliste à *Centre-Presse*.

Édité quasiment à compte d'auteur mais néanmoins sous l'égide du *Moniteur agricole,* mon roman avait pour titre : *La terre qui demeure* et était bien parti pour demeurer en cartons dans l'entrepôt de l'imprimeur sans le coup de pouce et l'aide que lui apporta notre ami Peyramaure. Car, à mon grand étonnement, non seulement il me reçut chaleureusement, me promit une critique dans *Centre-Presse* et un reportage dans la revue *Corrèze Magazine,* mais il alla même, comble de l'honneur pour moi, jusqu'à me tirer le portrait grâce à son vieux Reflex ! Si, si ! Il prit même une photo de moi pour la mettre dans le journal ! Ce jour-là, j'entrevis les ors de l'Académie et sa brochette d'habits verts, enfin presque...

Tout cela pour dire qu'en cette froide journée d'automne 73, j'étais heureux de constater que Michel Peyramaure avait, lui, des lecteurs fidèles, ce n'était que justice.

Justice également, et ça c'était vraiment l'événement de cette manifestation, son éditeur, Robert Laffont, avait dépêché auprès de lui, sans doute pour le soutenir en cette foire du livre si éprouvante, un de ses directeurs littéraires, Jacques Peuchmaurd, un Corrézien comme par hasard, qui « réussissait » à Paris, une sommité donc !

Force m'est d'avouer qu'en ces années, je nourrissais quelques préventions envers les grands éditeurs parisiens qui, presque tous, y compris Robert Laffont, m'avaient un jour ou l'autre, et depuis huit ans, refusé un ou plusieurs manuscrits. C'est dire si j'accueillis avec prudence et même réserve ce que me raconta Michel Peyramaure au sujet de son vieil ami Peuchmaurd, lequel, paraît-il, cherchait un auteur capable de représenter les agriculteurs dans la toute jeune collection « Un homme et son métier » qu'était en train de lancer Robert Laffont.

« Et je lui ai déjà parlé de toi, il veut te voir... » m'assura Michel qui, sa vie durant, a mis toute sa gentillesse et son talent à organiser des rencontres entre gens faits pour s'entendre mais qui, sans lui, n'auraient fait que se croiser.

Il n'empêche que le prudent terrien que je suis, et que j'étais déjà, n'a pas pour habitude de se jeter au cou du premier éditeur venu, fût-il parmi les plus grands et représenté par un directeur littéraire corrézien ! Bref, j'attendis que ce monsieur fasse le premier pas ; c'était logique car même si le projet brossé par Peyramaure m'enthousiasmait, n'étant pas demandeur ce n'était pas à moi à annoncer la couleur...

Heureusement, dans nos provinces, aucune manifestation, fût-elle de peu d'envergure, ne peut s'achever sans l'incontournable vin d'honneur généralement servi dans la salle dite polyvalente ! Cérémonie officielle au cours de laquelle, outre le fait qu'on vous force à ingurgiter un breuvage avec lequel les bonnes ménagères pourraient faire briller leurs cuivres ou déboucher leur évier, les personnalités locales y vont de leur petit laïus. Pompeux exercice oratoire que personne n'écoute, mais qui appelle néanmoins force sourires entendus, hochements de tête approbatifs et applaudissements généreux.

Ce fut donc après avoir sacrifié à tous ces rites, avec une application et un savoir-faire digne d'éloge, que Jacques Peuchmaurd, verre en main, vint me demander si, d'aventure, je serais intéressé par l'écriture d'un livre consacré à mon métier d'agriculteur. Il savait que j'avais déjà publié trois ou quatre bouquins chez Julliard et était prêt à m'établir un contrat si j'acceptais son offre. Un contrat ! Un vrai ! J'en rêvais depuis des années ! Je n'en mettrais pas ma tête à couper, mais je crois bien me souvenir que, ce jour-là, pour la première fois mais non la dernière, nous trinquâmes à l'avenir en choquant nos verres et en ingurgitant courageusement leur décapant contenu. Qu'importe, une collaboration, mais aussi et surtout une amitié venaient de naître.

Une amitié qui nous permit, l'année suivante, pour l'ultime édition de cette Foire du Livre ancienne mouture (elle ressuscita en 1981) en l'honneur de laquelle outre Jacques Peuchmaurd était aussi venu son ami Bernard Clavel, d'organiser chez nous, sur les hauteurs de Brive, le premier « dîner Laffont ». Il reste l'ancêtre de tant d'autres soirées exclusivement réservées à l'École de Brive et à ses très rares membres associés au cours desquelles la morosité, pas plus que l'eau claire, n'étaient de mise !

Amitié encore qui nous poussa, au fil des ans et alors qu'arrivaient de nouvelles plumes dans notre petit cercle corrézien, à nous retrouver entre amis et fidèles, toujours au sein de cette joyeuse école qui est avant tout le rassemblement, sous la même houlette, de bons compagnons de labeur. D'hommes et de femmes qui n'ignorent pas ce que travailler du stylo veut dire et qui s'y emploient du mieux qu'ils peuvent, pour le bonheur de leurs lecteurs. Mais aussi des écrivains qui, le moment venu, savent laisser leurs manuscrits au vestiaire, parler d'autre chose que de littérature, de critique et de prix littéraires et lever leur verre à notre santé commune, à celle de la maison Laffont et de l'École de Brive.

C. M.

Je suis né à Brive-la-Gaillarde, en Corrèze, le 30 mai 1938, dernier d'une famille de sept enfants d'où le titre de mes souvenirs d'enfance, Une fois sept.

Sept ans, c'était aussi mon âge lorsque j'ai suivi mes parents à Paris, en 1945. Edmond Michelet, mon père, retour de déportation à Dachau, était alors ministre des Armées dans le gouvernement du général de Gaulle. De 1945 à 1952, j'ai vécu à Paris, où j'ai fréquenté successivement et sans grand succès les écoles Saint-Pierre-de-Chaillot, Saint-Louis-de-Gonzague, La Rochefoucault et Saint-Thomas-d'Aquin.

J'étais un enfant turbulent, et très vite je compris que je préférais une fois pour toutes la campagne corrézienne aux études parisiennes. Mon opinion était faite : je décidai d'être agriculteur. J'avais « choisi la terre » ! J'entrai alors à l'école d'Agriculture de Lancosme (Indre), pour trois années d'études et de stages dans des grandes fermes. Après mon service militaire en Algérie (1958-1960), je me suis installé dans une petite propriété de famille du pays de Brive — 19 hectares — où je me suis consacré à l'élevage.

J'ai épousé Bernadette Delmond en 1961. Nous avons aujourd'hui six enfants et déjà dix petits-enfants.

Si j'avais choisi la terre, j'avais aussi choisi d'écrire, de raconter des histoires, moi qui aimais tellement en lire. Mon premier roman publié, La terre qui demeure, *est sorti en 1965 aux éditions du Moniteur agricole, à qui je donnais des éditoriaux.*

Depuis plus de trente ans, donc, j'ai écrit une quinzaine de titres chez Robert Laffont, dont ma chère trilogie de la famille Vialhe, qui m'a apporté et le Prix des Libraires pour Des grives aux loups, *et tant de lecteurs ! Des romans, mais aussi des nouvelles ou des articles sur des sujets agricoles, pour des journaux comme* Agri Sept, Le Nouvel Agriculteur, La Croix, Le Figaro, L'Express, *etc.*

Sur ces jalons d'une vie, je suis bref, mais il est vrai que mon ami Pierre Panen s'est dévoué pour en dire plus, dans son Claude Michelet sur la terre des hommes !

Ce que je veux ajouter, à propos de mon travail d'écrivain, c'est qu'il s'agit pour moi d'un désir simple : parler aux Français d'eux-mêmes, de leurs peines et de leurs joies, et d'un héritage commun. En continuant d'espérer que, si mes lecteurs me sont fidèles, c'est parce que je leur parle vrai, sans « message », mais avec, chevillées au cœur, des valeurs morales auxquelles je suis attaché et que je tente, ligne après ligne, livre après livre, de leur transmettre comme j'aime les transmettre à mes enfants, et aux enfants de mes enfants.

Maisons de famille

© Aline Saguéou/Opale

Mon premier livre a du sang sur les pages : l'éditeur qui l'avait publié au printemps déposa son bilan à l'automne. Paix à ses cendres. Le hasard nous avais mis en présence ; il n'était pas acquis qu'il récidiverait. J'habitais Tulle, en Corrèze, aux antipodes d'un milieu littéraire où je ne connaissais personne et mon naturel ne me disposait pas à tirer les sonnettes. Aussi étais-je résigné à écrire sans destinataire, à charge pour mes héritiers de propager éventuellement les traces scripturales de mon incursion sur le globe terrestre. On vit très bien sans être publié ; on meurt en conservant l'espoir d'une intronisation dans l'ordre de la postérité.

Mon livre avait pour titre *Spleen en Corrèze*. Lorsqu'il parut, un oncle, l'abbé Jean Espinasse, venait de publier ses Mémoires chez Robert

Laffont sous un intitulé voisin du mien : *Prêtre en Corrèze.* Le parallèle n'allait pas au-delà du mot Corrèze mais ce saint homme avait l'esprit de famille : je le soupçonne d'avoir plaidé ma cause auprès de Jacques Peuchmaurd, le lieutenant littéraire de Robert Laffont, qui procédait génétiquement de la Corrèze et s'en faisait un titre de gloire. D'autant que Claude Michelet, à la même époque, atteignait des scores staliniens avec le premier tome d'une saga paysanne corrézienne. Voilà que notre terroir, réputé jusqu'alors pour ses cèpes, ses châtaignes, ses rugbymen et ses hommes politiques, accédait à l'existence littéraire.

Peuchmaurd me sollicita. Son abord rustique me séduisit. Robert Laffont me consentit parallèlement une amitié de facture paternelle. Entre Robert et Jacques j'ai pris mes aises dans une officine éditoriale qui ressemblait à une maison de famille. Trois enfants de Robert Laffont y travaillaient : Anne, Isabelle, Laurent. Cette parentèle m'a procuré le réconfort d'une intimité sans laquelle j'aurais peut-être renoncé à lâcher des livres dans la nature. Lors de mes escales à Paris, je prenais pension chez l'une ou l'autre et plusieurs fois nous oubliâmes de signer un contrat en due forme : la confiance régnait.

Peuchmaurd publiait depuis belle lurette Michel Peyramaure que je connaissais car il avait été comme moi localier en Corrèze. C'est Peyramaure qui avait recommandé Michelet à Peuchmaurd, lequel publia ultérieurement Christian Signol, autre romancier paysan. Quatre auteurs de même souche cornaqués par un compatriote : ça ressemblait à un élevage sous label. On exhiba le cheptel au comice de Brive-la-Gaillarde. Un article de Jacques Duquesne dans *Le Point* décréta « École de Brive » la bande des quatre plumitifs, auxquels Peuchmaurd, en maquignon avisé, adjoignit un Tulliste – Gilbert Bordes –, une femme – Colette Laussac –, un Creusois – Jean-Guy Soumy –, et un Vendéen – Yves Viollier.

École était un gros mot. Il se répandit, porté par le succès de Michelet, et somme toute il qualifiait ce que les sociologues appellent un « phénomène de société ».

Ma citoyenneté littéraire n'allait pas de soi, car, si humbles qu'ils fussent, mes ancêtres ont toujours disposé de métayers pour pouvoir cultiver l'oisiveté, notre spécialité familiale. Je n'ai jamais su positivement traire une vache et mon approche de la fenaison rejoint celle de Virgile, voire de Madame de Sévigné : contemplation bucolique. Le maniement d'un rateau, d'une pioche ou d'une fourche me fatigue aussi vite que l'audition d'un groupe folklorique limousin. Bref, ma ruralité est une poétique, une érotique, peut-être une éthique – sûrement pas une pratique. Et comme je ne sais décrire que ce que je connais, on trouve entre mes lignes plus de minettes allongées sur des lits de fougères que de laboureurs penchés sur la charrue.

Mais enfin je partage avec mes amis de l'École de Brive une affection désolée pour l'antique paysannerie que nous avons vu agoniser – et, le vin aidant, un esprit de clan s'est ébauché, une fraternité à la fois évidente et paradoxale qui me rapproche de mon enfance recluse à Paris, obnubilée par un songe de bonheur agreste dans le giron d'une grand-mère vêtue de noir, à l'ombre d'une maison de famille qui n'est pas sans rapport avec la maison Laffont du début des années 80. Le monde à venir, dit-on, se caractérisera par l'émergence de patriotismes à géométrie variable. Entre autres appartenances je me sens de plein droit et de plein gré membre actif d'une École de Brive dont les potaches ont gardé pour le moins le sens de leurs racines et des sentiments qui vont avec.

D. T.

Denis Tillinac
Né en 1947 à Paris (17ᵉ)
Sexe : masculin
Nationalité : française
Souches : la Corrèze, le Bourbonnais
Origines : la plus haute Antiquité
Enfance : brumeuse
Adolescence : tumultueuse
Études : cahotiques
Diplômes : sans intérêt
Domiciliation : variable
Perspectives : lointaines
Métiers : barman, déménageur, employé au Crédit
agricole, journaliste, éditeur
Religion : catholique
Mœurs : foncièrement féodales, excessivement relâchées
Situation familiale : privé
Politique : gaulliste
Politique (suite) : conservateur, anarchiste
Allergies : le socialisme, le féminisme,
le libéralisme
Vocation : écrivain
Passions : l'amour, le sport, la campagne
Aversions : le monde moderne et les justes milieux

GILBERT BORDES

Le « castreur »
de grillons

© Gilles Rolle

Quand, à l'école primaire, le cancre total que j'étais a osé dire qu'un jour il écrirait des livres, tout le monde s'est mis à rire. Je n'avais vraiment aucune disposition, ma langue maternelle étant composée d'un vague français, de patois corrézien et d'expressions locales qu'on ne comprenait déjà plus à Tulle. L'école de la forêt et de la rivière où j'apprenais consciencieusement le braconnage m'attirait plus que celle de Jules Ferry. Deux millénaires de paysannerie, de « gratteurs » de terre, guère plus évolués que les animaux de trait dont mes ancêtres partageaient la vie, ça laisse des traces !

J'étais le petit canard noir de la famille. On vantait le courage et le goût du travail bien fait de ma sœur, les bons résultats scolaires de mes cousines.

De moi, on disait : « Quoué un sano gril », un *castreur* de grillons. Cette expression désignait quelqu'un qui passe son temps à des occupations vaines. J'avais toujours des idées farfelues en tête et mes tantes désignaient ouvertement mon père comme responsable de tant d'écarts : « Tu lui passes tout ! Tu ris quand il fait une bêtise, tu en feras un voyou ! » Ma mère se lamentait : « Tu ne pourrais même pas devenir cantonnier, il faut le certificat d'études. »

C'était en 1960. Un des premiers psychologues scolaires vint à Orliac-de-Bar. Il arriva un matin du mois de juin, fit passer des tests à tout le monde, et, surprise, dit que je devais entrer en sixième à l'automne. La maîtresse faillit s'en étrangler ; j'étais le dernier de la classe, et elle n'avait jamais pu rien m'apprendre. L'homme ne blaguait pas et voilà pourquoi, en septembre, je me retrouvai interne au collège de Corrèze. « Si seulement, tu pouvais avoir un petit brevet ! » disait ma mère en se tournant vers l'horrible statue de la Sainte Vierge posée au-dessus de la cheminée. Il ne suffit pas de déplacer un chat sauvage pour en faire une peluche. À l'internat, en prison, j'ai continué à mener ma petite vie indépendante, au fil de mes inspirations parce que, plus que jamais, j'étais décidé à écrire des romans. J'avais seulement appris à dissimuler ce mal terrible qu'à force de moqueries, je considérais comme honteux... Ma mère fut contente, je fus reçu à ce qu'on appelle aujourd'hui le brevet des collèges.

« Si tu pouvais avoir un petit bac pour entrer dans l'Administration... » Là elle en demandait trop, du moins dans l'immédiat. J'avais d'autres préoccupations et je ne vais pas raconter mes mises à la porte successives de plusieurs lycées, d'abord à Égletons, puis à Tulle. Donc, j'ai dû chercher du travail, c'était facile à l'époque. Paris m'attirait ; je me retrouvai donc du jour au lendemain manœuvre chez Kodak à Vincennes. J'avais dix-neuf ans et je venais de terminer un roman qui devait m'assurer la gloire d'un Radiguet. Le refus du Seuil me mit en colère, pourtant quelle gentille lettre le directeur littéraire m'avait envoyée ! Ma déception ne dura pas longtemps. Je mis en chantier un deuxième roman tout en préparant mon bac. Je n'étais pas en peine de sujets et l'écriture ne me prenait pas bien de temps. Le roman fut de nouveau refusé, mais j'obtins mon bac philo grâce aux maths ! Il s'en suivit quelques années de fac et de bringue – surtout de bringue – à Toulouse et je devins éducateur à Limoges, puis vaguement instituteur. Ma mère rendait grâce à la Vierge : j'étais enfin dans l'Administration. Pas pour longtemps.

Un peu plus tard, je rencontrai Jean Blanzat, alors directeur littéraire chez Gallimard. Je lui avais envoyé un manuscrit qu'il souhaitait publier (je n'y crois toujours pas !). Il fallait cependant le réécrire et l'effort me sembla insurmontable. Je préférai lui présenter un autre manuscrit qu'il refusa. Zut !

Devenu entre-temps journaliste, je rencontrai Robert Margerit qui me dit : « Faut voir Jacques Peuchmaurd, chez Laffont, c'est un Corrézien. » J'envoyai deux manuscrits à ce directeur littéraire qui s'était fait une telle réputation de dureté que je ne me faisais aucune illusion. Et pourtant si, il m'écrivit une lettre qui est restée des années dans mon sac : *« Vous avez un évident tempérament de romancier. Vos personnages sont justes, mais vous devez vous imposer plus de rigueur, relire avec attention chaque phrase, peser chaque mot...»* Il ne retenait pas mes deux romans pour l'édition, mais se disait prêt à lire autre chose. « Et si vous passez à Paris, ajoutait-il, je bavarderai volontiers de tout ça avec vous... » Une porte s'était ouverte. Je ris encore de ce voyage à Paris ridicule et pourtant plein de signes prémonitoires. C'était en mai 1974. Pour rencontrer un personnage aussi important dans l'édition française, j'avais acheté tout exprès costume, chemise blanche et cravate. Il pleuvait. Mes chaussures neuves me blessaient et je boitillais. J'arrivai trempé place Saint-Sulpice et, pour la première fois, j'entrai dans une maison d'édition, un temple ! La dame de l'accueil m'annonça. M. Peuchmaurd avait très peu de temps à me consacrer, mais il voulait bien me recevoir. Je me revois encore, assis dans ce bureau envahi de livres, le pantalon fumant, les cheveux dégoulinants, en face de ce gourou de la littérature contemporaine. Tout m'impressionnait en lui, sa tête ronde, sa coiffure stricte, son regard volontaire derrière des lunettes à forte monture, ses mots incisifs. On vint lui montrer un projet de couverture. « Pas mal ! » dit-il. Le téléphone sonna. Il prit le combiné de ce geste ordinaire de ceux qu'on appelle beaucoup. « Oui, prends du poisson pour ce soir, ça changera un peu ! » Il avait alors la voix un peu désinvolte de ces grands décideurs qui, parfois, se penchent sur les détails de la vie quotidienne. Ensuite, il me parla de Clavel et de quelques autres dieux de l'écriture. On convint que je lui enverrais un manuscrit à l'automne, après la rentrée. Je n'en avais pas, mais j'allais lui en « pondre » un pendant les vacances d'été. Il m'accompagna jusqu'à la porte de son bureau. Je me dirigeai seul vers l'ascenseur quand arriva un homme très grand, le front haut avec ce regard d'aigle insoutenable. Je le sentais tellement supérieur que j'eus envie de m'enfuir. Une fois dans la rue, il me fallut un bon moment avant de réaliser que j'avais pris l'ascenseur avec Robert Laffont lui-même. Ce ne pouvait être qu'un signe du destin ! C'en était un, en effet, mais le destin ne fixe jamais la date de ses rendez-vous...

Pendant l'été, entre deux parties de pêche à la mouche sur la Vézère, j'écrivis deux romans dans la foulée, un par mois, comme Exbrayat lorsqu'il écrivait ses polars, mais je ne suis pas Exbrayat, et Peuchmaurd fit tonner ses foudres. La porte se refermait.

Quelques années passèrent. En 1980, Michel Peyramaure terminait le troisième volume de sa *Passion cathare*. Claude Michelet faisait un tabac avec *Des Grives aux loups*. Moi, je rongeais mon frein. Devenu parisien, je travaillais dans un journal consacré à la pêche à la ligne, je me mis à écrire des livres sur les poissons, l'eau, l'écologie, mais cela ne me fit pas oublier mon échec de romancier. J'avais bien un manuscrit sous le bras, mais j'hésitai à le présenter à Jacques Peuchmaurd, je redoutais son refus quand Michel Caucard, créateur des éphémères éditions Encre me dit : « Apporte-le à Nucéra, chez Lattès. » C'est ce que je fis et le miracle se produisit enfin, Louis Nucéra acceptait de publier mon *Beauchabrol*. En 1982, je publiai mon deuxième roman, *Barbe d'or,* puis plus rien. Nucéra parti de chez Lattès, je ne me sentais plus chez moi, je ne pus retrouver dans cette maison la nécessaire entente, la complicité indispensable entre un auteur et son éditeur. La traversée du désert a duré six longues années, jusqu'en 1988. Pendant ce temps, l'École de Brive s'était constituée. Tillinac et Signol rejoignaient la « bande à Peuch ». Ils étaient quatre, comme les Dalton. Je les connaissais, bien sûr, mais comment espérer entrer un jour dans ce club très fermé ?

Après deux ou trois refus, tout ce que j'écrivais depuis 1983 me semblait mauvais, et je n'osai plus tirer les sonnettes des éditeurs. J'avais perdu la confiance et ce feu intérieur qui nous pousse à écrire, à raconter une histoire, à faire vivre des personnages. Le ressort était cassé. J'avais publié deux romans, je pouvais en rester là, mais c'était baisser les bras bien vite et accepter de n'être rien puisqu'en dehors de l'écriture j'ai le sentiment de ne pas exister.

Un jour de début mai 1988, je regardais le manuscrit réécrit trois ou quatre fois et que je gardais dans un tiroir comme le souvenir d'un temps heureux. J'étais dans mon bureau à Paris, boulevard Barbès, où se trouvaient les rédactions de *L'Auto-Journal* et des autres revues de la société Gerpresse créée par Jacques Hersant. Pris d'une brusque impulsion, sans réfléchir, j'appelai le coursier maison (un Corrézien, aussi) et je lui demandai d'apporter le paquet que je venais de faire aux éditions Robert Laffont. Une fois le coursier parti, je me mis à regretter ce geste inconsidéré. J'allais, une fois de plus, être ridicule. L'été passa sans aucune réponse, puis le mois de septembre. Je me disais que mon texte était parti à la poubelle sans qu'on juge utile de me répondre. J'étais au bout du rouleau, au fond de la nasse, je n'écrivais plus, d'ailleurs ma tête était vide.

À la fin octobre, je reçois une lettre des éditions Robert Laffont. Je faillis la mettre à la poubelle sans la lire, je savais ce qu'elle contenait. J'osai seulement déchirer l'enveloppe deux jours plus tard. Je l'ai sous les yeux : « *Du fait des vacances et de la rentrée, je n'ai pu ouvrir qu'hier au soir votre manuscrit, lu cependant deux fois dans l'intervalle. Je ne suis pas assez avancé dans ma lecture pour avoir un avis définitif. Quoi qu'il en soit, j'aimerais bien que nous nous voyions. Pouvez-vous m'appeler lundi prochain ?* » La porte s'ouvrait de nouveau et j'allais me rattraper. L'année suivante, après que Jacques m'eut fait entièrement réécrire mon roman, paraissait *L'Angélus de minuit*, puis *Le Roi en son moulin* qui atteignit un niveau de ventes que je n'avais jamais envisagé. Enfin, je pouvais vivre de ma plume, je redevenais l'enfant et l'adolescent d'autrefois, les sujets de romans se bousculaient dans ma tête, ils s'y bousculent toujours... Ainsi, je suis entré par la petite porte dans une bande qui allait s'agrandir cncore – au fond, elles avaient raison, mes tantes, de me prédire un avenir de voyou. Mais ma bande, à moi, est gaie et pas malhonnête pour un sou. On y a le sens du délire le plus total, aucun respect des conventions et des étiquettes ; on ne se jalouse pas, on aime la vie, la table, le vin et le whisky.

Le pire, c'est que le cancre, l'élève insoumis, l'instit que j'ai été pendant quatre ou cinq ans et qui s'ennuyait plus que ses élèves dans de sordides salles de classe, a découvert les charmes d'une école...

G. B.

YVES VIOLLIER

Le Vendéen
de l'École de Brive

© John Foley/Opale

Je suis sans doute le plus méritant de tous les amis de l'École de Brive : la route est longue, qui va de la Vendée à Brive. Elle coupe au travers par Niort, Confolens, Limoges. Il faut compter quatre heures en roulant vite, cinq heures avec le bouchon d'Uzerche, le 15 août.

Je suis descendu en Corrèze une première fois pendant l'été 1984. Mon beau-père avait lu *Les Grives* et *Les Palombes*. La saga de *Saint-Libéral* était devenue sa bible. Il avait fait son service militaire à Tulle. Nous sommes passés devant sa caserne, avons poussé jusqu'aux cascades de Gimel, et nous nous sommes lancés à la recherche de la réalité dans la fiction autour de Brive. Nous avons vu le panneau Marcillac sur la route de Toulouse.

Nous en sommes restés là. Nous n'avons pas osé nous approcher plus près du logis de l'écrivain.

Je suis entré aux éditions Robert Laffont en 1987 avec mon roman *Jeanne la Polonaise*. Robert a lu mon manuscrit pendant l'été. Il m'a confié à Jacques Peuchmaurd, directeur littéraire, à l'automne, *Jeanne* a été publié au printemps 88. Jacques m'a dit : « J'aimerais que tu viennes à Brive, il y a une Foire du Livre à la Toussaint. Tu ne signeras peut-être pas beaucoup. Tu verras les amis. » Leur photo figurait en bonne place sur un mur de son bureau. Ils étaient quatre autour de lui, sur le seuil d'une maison : Michel Peyramaure, Claude Michelet, Christian Signol et Denis Tillinac. Je suis allé à Brive. La foule se pressait autour du stand de ces écrivains qu'on commençait à appeler l'École de Brive. Les gens essayaient d'échanger quelques mots dans la cohue. Ils repartaient lestés de piles de leurs derniers livres, parfois en double ou en triple pour la famille. Le soir, autour de la table ronde du dîner de gala à l'hôtel de Labenche, Jacques a dit : « Écoutez, j'aimerais qu'Yves fasse partie de notre bande ! »

Il a fallu le temps. J'ai appris à attendre. Il a fallu du travail. J'avais créé, avec des amis vendéens, le prix Terre de France, en partenariat avec le magazine *La Vie*. Avec l'appui de Jacques, nous avons remis le prix Terre de France - La Vie à la Foire de

Brive, l'année suivante. Jacques Duquesne est devenu par la suite président du jury. Gilbert Bordes est arrivé. Il est devenu très vite une figure de la bande. Son roman *La Nuit des hulottes* a obtenu un grand succès. On y a reconnu un ton École de Brive. Il a fait partie de la famille. Moi, je suis resté en marge. Ma suite polonaise n'était pas vraiment dans l'esprit. Et puis j'avais un défaut majeur : je n'étais pas corrézien !

Jean-Guy Soumy, le Creusois, a publié *Les Moissons délaissées* en 1992, et moi, *Par un si long détour*. Jacques nous a invités au traditionnel rassemblement de la bande à Chauffour, chez lui, le 15 août. « Tu viendras avec ta femme. Il y a la signature à Collonges ou à Meyssac. Après, on se retrouve, on mange, on boit. C'est d'abord très déconnant. » Il y a eu un débat d'une gravité extrême sur la faille d'Argentat. Nous sommes revenus l'année suivante. Notre chambre était réservée chez l'ami Gilbert Bordes en haute Corrèze. Nous avons pris l'apéritif sous l'arbre. Michel Peyramaure a quitté la bande après le repas, comme à l'habitude, pour aller remplir ses pages quotidiennes. Jean-Guy a obtenu le prix de la Corne d'or limousine en 94, moi en 95 avec *Les Pêches de vigne*. L'an dernier, Claude m'a appelé : « Tu viens à la Foire de Brive ? Pourquoi ne viendrais-tu pas coucher chez nous, plutôt que d'aller à l'hôtel ? Bernadette est de mon avis. Nous avons une chambre pour toi. » Michel nous a servi l'absinthe espagnole, le soir, après la foire. J'ai revu le panneau Marcillac dans la vallée, sur la route de Toulouse. Je n'ai eu qu'un regret. C'est que mon beau-père ne soit plus parmi nous. Il aurait été si heureux de me savoir chez Claude !

Cette année, sur la quatrième de couverture des *Saisons de Vendée,* mon dernier roman, Jacques m'a présenté comme « le Vendéen de l'École de Brive ».

Y. V.

Quand on me demande pourquoi j'écris, je pense à mon arrière-grand-mère. Je suis assis sur la terre battue de la salle de ferme, entre les pieds de la table. J'ai cinq ans. J'ânonne les mots : table, banc, chaise. Ma mémé Lise se penche vers moi et me serre dans ses bras : « Mon petit gars ! Il est plus fin que moi ! » Je suis sûr que ce baiser de mon arrière-grand-mère est la source de ma passion pour les mots. J'ai décidé ce jour-là de devenir écrivain.

Je suis né dans la ferme de ma grand-mère en 1946, au lieu-dit Château-Fromage, un nom de conte de Perrault, sur la commune du Bourg-sous-La-Roche, en Vendée. Mon père venait de laisser le métier de paysan pour aller fûtailler aux Caves du Poitou à La Roche-sur-Yon. Très vite, la famille s'est transportée au bourg. Ma mère a ouvert une épicerie. Mon père s'est installé à son compte. Alors chaque Vendéen avait sa vigne et son vin dans sa cave. La cour s'emplissait de fûts à réparer à l'approche des vendanges. J'ai accompagné mon père dans les fermes pour y changer des douelles et changer des fonds. Un jour, un voisin est venu le voir : « Je fais construire une maison sur la route du Moulin-Rouge. Me ferais-tu la charpente et les ouvertures ? » Mon père a hésité, puis accepté. Il a construit sa première maison, puis a passé son CAP de menuisier. J'avais sept ans. Je servais l'huile, le fromage, les harengs aux clientes de l'épicerie. Je tournais la manivelle du grand moulin à café. Je plongeais le bras dans les bocaux de bonbons. J'étais enfant de chœur. Ma mère me réveillait à 6 heures et quart, aux premiers coups de la cloche, pour aller servir la messe. L'abbé Jaunet nous apprenait à jouer du pipeau. Il nous projetait Tintin, le jeudi, au patro. Je suis entré au séminaire à onze ans par amitié pour lui. Cette année-là, mon père transformait les vieux lits de coin en lits de milieu. Les paysans déchargeaient leurs bois de lit en cerisier dans notre cour par pleines charrettes. Mon père avait deux ouvriers, on disait compagnons. Nous avons eu notre première deux-chevaux. L'antique Delahaye transformée en camionnette servait pour l'atelier. Mon père s'est mis à l'ébénisterie.

J'ai fait toutes mes « humanités » au séminaire. J'avais conscience, depuis le début, de ne pas avoir la vocation. J'ai vécu l'enfermement de cette vie monacale comme un rêve éveillé. Les fêtes religieuses ponctuaient le temps. Nos professeurs nous entretenaient dans la compagnie de Xénophon : « Thalassa ! Thalassa ! », Virgile : « Tityre, tu patulae recubans... » Les trônes du mois de Marie s'élevaient jusqu'aux voûtes de la chapelle. J'étais en seconde, lorsque Jean Huguet, alors professeur au Cercle de la librairie, est venu faire au séminaire une conférence sur le livre de poche. Je lui ai écrit, le soir, et lui ai envoyé des poèmes. Quelques semaines plus tard ils paraissaient dans les Cahiers des jeunesses littéraires de France.

J'ai quitté le séminaire en terminale, et j'ai publié mon premier recueil de poèmes à compte d'auteur : Les Yeux écarquillés. François Mauriac m'a écrit : « J'aime la musique et la ferveur de vos poèmes. Je n'aime pas votre titre. » Jean Huguet a publié mon premier livre Un Tristan pour Iseut en 1972. Il créait en Vendée sa maison d'édition, Le Cercle d'or. La publication d'un jeune *avait pour lui valeur symbolique. L'année précédente, j'avais obtenu mon CAP d'instituteur. J'enseignais à Fougères. J'écrivais des chansons pour le chanteur breton Allanic. Nous avons fait ensemble trois trente-trois tours chez CBS.*

Nous sommes revenus en Vendée quand mon père a ouvert une grande surface de meubles en 73. Marie-Claire, ma femme, a quitté l'enseignement pour en prendre la direction. J'ai publié deux autres livres au Cercle d'or, et Jean Huguet m'a dit : « Je ne peux plus rien pour toi. Tu dois aller voir à Paris. » J'étais devenu professeur de collège. J'étais à la rédaction du journal pour jeunes Christiane, *des publications Fleurus, je venais d'entrer à* La Vie *pour la critique des livres. Geneviève Laplagne, la rédactrice en chef, m'a donné à lire un roman d'Augustine-Anna Rey,* Les Sentiers du vieux Causse *paru aux éditions Jean-Pierre Delarge, aujourd'hui Éditions universitaires. Il était dans l'esprit du roman que je venais de terminer :* Retour à Malvoisine. *J'ai envoyé mon manuscrit à Jean-Pierre Delarge. Il a publié* Retour à Malvoisine *en 1979, puis* La Mariennée *en 1981,* La Cabane à Satan *en 1982.*

Je suis allé rencontrer Bernard Clavel en 1983 pour La Vie. *Bernard Clavel m'a demandé : « Et vous, où en êtes-vous ? » Je venais d'achever un nouveau roman. « Où allez-vous le publier ? À votre place, j'irais maintenant chez un grand éditeur. Pourquoi ne le remettriez-vous pas à un agent ? Mon agent littéraire est anglais. » J'ai envoyé mon manuscrit à Londres. L'agent m'a appelé :*

« *Je vous prends. À mon avis Flammarion est l'éditeur qu'il vous faut.* » *Charles-Henri Flammarion a publié* La Chasse aux loups *en 1984,* Le Grand Cortège *en 1985. J'ai demandé à mon agent de remettre le manuscrit de* Jeanne la Polonaise *à Robert Laffont. Ensuite, mon aventure littéraire rejoint celle de l'École de Brive.*

Nous nous sommes installés sur la route de Château-Fromage, là où je passais assis sur le porte-bagages du vélo de ma grand-mère. Mon père a passé le flambeau de l'entreprise familiale à mon jeune frère Daniel, et il m'aide à soigner les moutons que j'élève autour de la maison. Ma mère entoure de fleurs le vieil atelier d'autrefois, désaffecté pour un plus grand. Marie-Claire la Charentaise, ma femme, a importé chez nous toute une végétation des bords de Charente : peupliers italiens, noyers, roses trémières. Emmanuelle et Aurélie, nos filles, hésitent entre la Vendée et la Charente, la rigueur vendéenne et la lumière charentaise.

JEAN-GUY SOUMY

L'été
sous les tilleuls

© John Foley/Opale

Lorsque, au cours de l'été 1981, je franchissais le portail de la ferme de Marcillac, j'avais le cœur battant. Claude Michelet avait accepté de me recevoir ! Je lui portais mon premier manuscrit. L'homme me reçut chaleureusement, avec attention et sans le moindre signe d'impatience. Nous restâmes une demi-heure dans cette grande salle confortable en rez-de-chaussée d'une maison que, depuis, j'ai appris à connaître. Il accepta de lire mon manuscrit, de l'adresser aux éditions Robert Laffont. Il fit tout ce qu'il avait promis. Il m'écrivit même. J'ai gardé ses lettres précieusement.

Il n'y a pas plus terrible époque pour celui qui écrit que le temps où il n'a pas encore été publié. Cette visite à Marcillac devait me donner la force de poursuivre. Mon manuscrit, mal abouti, ne fut pas retenu. Mais l'important était ailleurs. Claude Michelet m'avait fait comprendre qu'à force de travail et de persévérance je pouvais progresser. Ce genre de rencontre décide d'une vie bien davantage que tous les plans sur des comètes jamais à l'heure aux rendez-vous.

Dix ans devaient s'écouler jusqu'à la publication des *Moissons délaissées*. Dix années pendant lesquelles je ne revis pas Claude Michelet. Au cours de cette période, je ne cessais d'écrire. Bien que refusés, mes manuscrits furent remarqués, chez Robert Laffont, par Michel-Claude Jalard que je rencontrai à plusieurs reprises. Selon une habitude établie, nous quittions son bureau de la place Saint-Sulpice pour nous rendre dans un café proche. Il m'écoutait, me conseillait, me faisait prendre confiance en moi. J'avais le sentiment, enfin, qu'un homme du monde littéraire s'intéressait à ce que j'écrivais.

Le soir, à Austerlitz, en reprenant le train pour la Creuse, je me prenais à espérer. Je n'étais cependant pas encore parvenu à atteindre un premier degré d'accomplissement dans mon écriture, lorsque Michel-Claude Jalard, avec une prescience dont je lui suis pour toujours reconnaissant, me présenta en 1991 à Jacques Peuchmaurd.

C'est toute la grandeur des éditeurs que de deviner, bien avant lui, l'univers d'un auteur débutant. Jacques Peuchmaurd me dit, sur l'écriture, des choses que je pouvais comprendre. Il m'invita à travailler plus « naturellement », c'est-à-dire plus conformément à ma sensibilité, à ma culture et à mon histoire personnelle. Avec Jacques Peuchmaurd, la littérature prit d'emblée une tournure fraternelle. Il sut m'accorder le temps et surtout, comme Michel-Claude Jalard, me faire don de son exigence. Le premier roman que je portais en moi, il l'a lu avant que je l'écrive. Un jour de printemps 1992, sur la place Saint-Sulpice, il me dit avec jubilation : « Nous allons bien nous amuser tous ensemble. » L'avenir lui a donné raison.

Mais aurais-je été admis au sein de l'École de Brive sans l'accord de ses membres ?

Certainement pas. Les bandes unies sont sourcilleuses sur la question des nouveaux venus. Elles ont raison de l'être. C'est là que ma visite à Claude Michelet, dix années plus tôt, porta, je l'imagine, des fruits que je n'avais jamais espérés et me valut de pouvoir m'intégrer au groupe corrézien. Dès l'été 1992, avant la parution en septembre de mon premier roman, je participais, accompagné de Cécile, au déjeuner d'août chez Jacques Peuchmaurd et son épouse Raymonde, à Chauffour. La pratique d'une amitié scrupuleuse exige des rituels. Celui-ci fut des plus doux autour de la grande table familiale bordée de vieux bancs étroits. Ils étaient là, les écrivains de l'École de Brive, et leurs femmes aussi, tous pleins d'indulgence pour le nouveau, creusois qui plus est ! Jacques Peuchmaurd avait vu juste. Désormais, je pouvais rejoindre le cercle des amis qui écrivent, rompre ma solitude provinciale, parler, rire avec eux. En toute confiance.

J.-G. S.

Je vis au pays de mon enfance, dans le village de Masbaraud-Mérignat, parmi les miens et entouré d'hommes et de femmes avec lesquels je n'ai guère besoin de parler pour comprendre. Est-ce à dire que n'a jamais été tranché mon cordon ombilical ? Probablement. Quadragénaire, je reste suspendu, comme à un sein, à ce coin de terre qui m'a été donné. Au fond, je ne suis libre qu'ici, dans cette Creuse rude, au cœur d'un pays de migrants dont j'adopte la mentalité de minorité opprimée lorsque je « monte » à Paris pour un jour, deux, jamais davantage.

À la fin du siècle dernier, sur le plateau de Millevaches, ma famille paternelle vivait sur dix hectares de landes, dans une propriété appelée Les Levades. La ferme, très isolée, était si soigneusement tenue que mon arrière-grand-père avait été surnommé, par dérision, le marquis. La mélancolie du plateau, je la porte en moi. C'est ma part sauvage, mon impossibilité de croire en la facilité. Joséphine, ma grand-mère, comme tant de Creusois, quitta l'ingrate terre pour vivre à Paris une existence laborieuse. Elle épousa Marcel, colosse aux yeux bleus, venu lui aussi de Creuse, d'un village appelé le Montdoueix, pays des Moissons délaissées. Marcel avait connu Verdun, les gaz, les baïonnettes, la dureté d'une vie ouvrière... Il fut un homme d'une gaieté jamais mise en défaut. Leur fils unique, mon père, enseigné à l'école Boulle, décida, après la Seconde Guerre mondiale, de quitter Paris pour revenir à ses racines. Il s'installa à Masbaraud-Mérignat où il se maria. Je naquis en 1952. Mon père était ébéniste au village.

L'écriture ressemble parfois à l'artisanat.

Les temps les plus heureux de ma vie d'écolier, je les ai passés à l'école primaire du bourg. Mes études me conduisirent ensuite au collège de Bourganeuf, au lycée Pierre-Bourdan, où je vécus l'internat comme un enfermement. À l'université de Limoges, j'étudiai laborieusement la physique et moins maladroitement les mathématiques, ayant peu de goût pour l'expérimental. Professeur de mathématiques en 1976, j'enseignai suffisamment longtemps dans l'Indre pour y apprendre l'ennui des terres plates et humides. Entre-temps, à vingt ans, j'avais épousé Cécile, fille de Creusois émigrés dans la capitale, brune angliciste séduite à la faveur de vacances d'été, je ne sais toujours pas par quel miracle. En 1975 et 1976 naquirent Isabelle et Nathalie.

En 1980, j'accédai aux fonctions de professeur d'École normale, m'intégrant à une institution plus que centenaire, forteresse aux certitudes parfois dominatrices. Depuis 1991, j'enseigne les mathématiques à l'Institut universitaire de formation des maîtres du Limousin. L'enseignement peut être une fontaine de jouvence pour un professeur entouré, comme moi, d'étudiants dont le désir d'apprendre est si puissant. Il n'y a pas meilleur moyen pour se tenir en éveil que de se trouver sous le feu de leurs interrogations, confronté à leur exigence. Vivre au milieu de cette jeunesse est une récompense.

Mais, où que me conduisent mes cours en Creuse ou en Haute-Vienne, chaque soir je rentre chez moi, retrouver

Cécile et les filles dans notre maison de pierre, de verre et de lierre, à dix pas de l'atelier de mon père. Je vis sous le même ciel que celui sous lequel j'allais tout gosse, dans la campagne, pour d'interminables promenades solitaires. C'est ici que, comme romancier, j'ai pris la parole pour combler les silences laissés par Marcel, Joséphine, le pauvre marquis *et tous mes aïeux, paysans et humbles gens. Il y a, certes, comme un défi dans l'immobilité géographique à laquelle je me suis contraint. Mais l'écriture est une houle qui fait tanguer ma vie réglée. Les histoires d'ici sont les histoires de là-bas, des histoires de partout.*

La petite
de Branceilles

Passion : l'écriture. Et son revers, la lecture. Signe distinctif : justement, aucun. Terre d'asile au jour dernier : Branceilles. (Il faut être prudent sur le choix de ses voisins, surtout lorsqu'ils sont éternels !) J'ai aimé l'école, temple du Savoir, parce qu'on me répétait sans cesse que l'instruction était la seule issue possible quand on est pauvre et fille de surcroît. À ce propos, mes parents n'ont jamais fait de différence entre mes frères et moi. Il est vrai que si les filles étaient encore destinées à être mariées les choses commençaient à changer, même dans nos campagnes.

La grande armoire vitrée de la classe communale contenait des trésors que j'admirais sans me lasser : des pierres et des coquillages, un microscope, un globe terrestre. Et des livres...

Le premier (avec planches et dessins) que le maître ait bien voulu me prêter racontait la vie des abeilles : j'y découvrais un monde fabuleux, jusque-là insoupçonné. Le virus de la lecture (malheureusement pas contagieux) venait de m'être inoculé... Virus qui est devenu passion (enragée) à Meyssac (de la sixième à la troisième). Avec mon amie Marie, nous lisions en moyenne un livre tous les deux jours... En même temps (peut-être à cause ?), j'ai commencé à détester les chiffres. Aujourd'hui encore, ils me font fuir de toute la vitesse de mes neurones.

Puis ce fut le lycée, à Saint-Céré ; ensuite, la faculté de droit à Toulouse (j'ai choisi cette discipline par nécessité : avec de telles études, le travail ne manquait pas). La vocation est venue plus tard.

En 1968, je me suis mariée avec le richissime possesseur d'un Solex, manipulateur d'éprouvettes, devenu depuis directeur de recherche au CNRS. En 1973 est né Pierre-Bernard, que j'ai eu le bonheur de voir grandir jour après jour jusqu'à l'âge de huit ans. En même temps, je m'essayais à la photographie, au tissage, etc., et me lançais dans d'autres études (histoire de l'art, histoire).

En 1981, un ami m'a proposé un poste d'enseignant dans un organisme de formation continue pour lequel je travaille encore.

Un jour, l'idée a jailli. Incongrue. Tellement folle aussi. Il me fallait écrire. J'ai repoussé l'idée. Et puis elle est revenue. Nécessaire. Impérieuse.

Alors, j'ai pris une feuille, un crayon à papier, une gomme et un taille-crayon. Et sans rien dire à personne j'ai commencé mon premier roman...

La chance a voulu que Bernard Garande publie *Verre de gris,* en 1988, (éditions Milan). Ce furent ensuite cinq livres, coup sur coup, avant *Le Dernier Bûcher,* chez Robert Laffont. C'est ainsi que j'ai fait mon entrée dans l'École de Brive, rassemblée autour de Jacques Peuchmaurd, le « berger » de la Corrèze et de quelques terroirs satellites (Creuse, Vendée, Béarn), première femme à être accueillie par nos mousquetaires de l'écriture.

Je connaissais déjà Michel Peyramaure, dont la gentillesse à mon égard ne s'est jamais démentie. Christian Signol, mon voisin des Quatre-Routes. J'ai rencontré, un peu intimidée (mais oui !), Claude Michelet, le bouillonnant Denis Tillinac, Gilbert Bordes et la faille d'Argentat, Jean-Guy Soumy, Yves Viollier, Martine Marie Muller, le libraire Alain Gazeau, opérateur en chef de toutes nos signatures.

J'ai découvert, le plus souvent réunie autour d'une bonne table, une bande de joyeux drilles qui, cultivant l'art de ne surtout pas se prendre au sérieux, avaient pour seule maxime « la déconne », règle de vie, ou morale à laquelle ils ne dérogent jamais.

Alors je voudrais dire merci à tous. Merci de m'avoir invitée à les rejoindre dans ce fameux train de l'amitié.

C. L.

MARTINE MARIE MULLER

Le Béarn pousse sous les Tropiques

© Coll. personnelle.

Après une enfance banale en région parisienne, et de classiques études de lettres plus banales encore, je suivis — qui peut dire pourquoi — une amie étudiante désireuse de rejoindre en Haïti un bibliothécaire déniché à la Bibliothèque nationale, où nous rédigions nos mémoires de maîtrise. En cette année 1975, l'île, pauvre miette de terre parmi les plus pauvres où nous vécûmes trois mois avec cent dollars, au milieu d'une joyeuse bande de bras cassés effectuant leur service militaire pour la coopération française, nous parut très calme et fort exotique.

De balade en balade autour de l'île, un pneu de l'antique 4 L éclata, puis un autre. Chacun se dispersa pour rejoindre Port-au-Prince par divers moyens. Dans un village, j'entendis parler d'un Blanc motorisé ; je le découvris avalant une bière tiède au comptoir d'un bar et je le sommai de me tirer d'affaire. Le moustachu répliqua avec flegme que les fonds de la Recherche outre-mer ne servaient pas à dépanner les touristes en goguette. Vingt ans après, le conducteur est toujours ironique et flegmatique ; il est toujours mon mari.

Pendant quelques années, notre mode de vie, entre son poste de démographe détaché à Londres, mon premier poste d'enseignante à Sarcelles et ses missions en Afrique, fut celui des hôtels et des aéroports. Mais entre Londres et Dakar je trouvais encore le goût des voyages d'études au Canada, ou de vacances en Israël, avec la même amie globe-trotter.

C'est après la naissance de notre fille en 1982 que cessa un peu la valse des valises, au bord du mélancolique fleuve Congo. J'écrivais ma thèse à Brazzaville, en écoutant, dans le silence moite et épais de la concession, le grincement des roussettes, et le fracas assourdissant de la pluie tropicale qui tombait chaque jour à 18 heures sur les toits de tôle.

Nous retournâmes à Paris pour que la petite fille pût faire une très sérieuse école maternelle, et surtout pour reprendre un métier qui me manquait. Mon mari reprit seul diverses missions en Afrique ; je l'y rejoignais parfois, un deuxième bébé dans les bras, pour respirer les parfums des grands marchés d'Abidjan ou visiter les crocodiles sacrés qu'un mégalo avait enfermés dans des bassins à la Versailles. Sinon, c'était sécheresse au Mali, révolution en Haïti, chute de Duvalier. Souvent, je n'avais plus de nouvelles de lui. Parfois, quand un Iliouchine s'abattait dans le désert avec sa cargaison d'hommes et de chèvres, mon cœur se glaçait.

C'est après la naissance de notre troisième enfant que de « toubabs » nous devînmes « gringos » à Mexico, Districo Federal, où mon mari et des chercheurs mexicains devaient — à eux seuls — résoudre les problèmes d'une population augmentant de deux mille personnes par jour, dans une ville déjà peuplée de dix-huit millions d'habitants, puisant dans une nappe phréatique polluée sur trente mètres, sous le regard indifférent des grands *jefes politicos* qui regardent mourir leur peuple au pied des volcans millénaires. C'était en 1988.

De ma fenêtre, sous le beau ciel d'ozone de Mexico, obscurci par les crachats noirs des usines et des camions américains, je regardais les yucas — ici, grands comme des géraniums, là-bas, hauts comme des chênes — et le bougainvillier pourpre qui ombrageait le jardin en restanque.

J'écrivais sur le Béarn, je mangeais de la tortilla et buvais de la bière Corona, je regardais pousser mes enfants qui, comme les bougainvilliers, prospérèrent bien en quatre ans. Mais il est un temps où il faut rentrer chez soi, et ce temps était venu.

M.M. M.

DES LIVRES

MICHEL PEYRAMAURE

*Grand Prix de la Société des gens de lettres
et prix Alexandre-Dumas pour l'ensemble de son œuvre*

Aux éditions Robert Laffont
PARADIS ENTRE QUATRE MURS, 1954
LE BAL DES RIBAUDS, 1955
LES LIONS D'AQUITAINE, 1957
DIVINE CLÉOPÂTRE, 1957
DIEU M'ATTEND À MÉDINA, 1961
L'AIGLE DES DEUX ROYAUMES, 1959
LES CENDRILLONS DE MONACO, 1965
LE RETABLE, 1971
L'ŒIL ARRACHÉ, 1974

LA PASSION CATHARE :
1. LES FILS DE L'ORGUEIL, 1977
2. LES CITADELLES ARDENTES, 1978
3. LA TÊTE DU DRAGON, 1978

LA LUMIÈRE ET LA BOUE :
1. QUAND SURGIRA L'ÉTOILE
ABSINTHE, 1980
2. L'EMPIRE DES FOUS, 1980
3. LES ROSES DE FER, 1981

L'ORANGE DE NOËL, 1982
LE PRINTEMPS DES PIERRES, 1983

LES EMPIRES DE CENDRE :
1. LES PORTES DE GERGOVIE, 1984

2. LA CHAIR ET LE BRONZE, 1985
3. LA PORTE NOIRE, 1986

LA CAVERNE MAGIQUE, 1986
LA DIVISION MAUDITE, 1987
LA PASSION BÉATRICE, 1987

LES DAMES DE MARSANGES :
1. LES DAMES DE MARSANGES, 1988
2. LA MONTAGNE TERRIBLE, 1989
3. DEMAIN APRÈS L'ORAGE, 1990

NAPOLÉON :
1. L'ÉTOILE BONAPARTE, 1991
2. L'AIGLE ET LA FOUDRE, 1991

LES FLAMMES DU PARADIS, 1992
LE BEAU MONDE, 1994
LES DEMOISELLES DES ÉCOLES, 1995

Dans la collection Plein Vent
LA VALLÉE DES MAMMOUTHS, 1966
LES COLOSSES DE CARTHAGE, 1967
CORDILLÈRE INTERDITE, 1970
NOUS IRONS DÉCROCHER
LES NUAGES, 1976

Pour la jeunesse, chez d'autres éditeurs
LE CHEVALIER DU PARADIS
Casterman

JE SUIS NAPOLÉON BONAPARTE
Belfond / Jeunesse

Aux éditions Seghers
MARTIAL CHABANNES GARDIEN
DES RUINES, 1995

Chez d'autres éditeurs
SENTIERS DU LIMOUSIN, 1979
Fayard

L'AUBERGE DE LA MORT,
Pygmalion

LES MONTAGNES DU JOUR, 1986
Préface de Daniel Borzeix
Les Monédières

LES DIEUX DE PLUME,
Presses de la Cité

LES TAMBOURS SAUVAGES, 1992
Presses la Cité

PACIFIQUE-SUD, 1994
Presses de la Cité

LOUISIANA, 1996
Presses de la Cité

UN MONDE À SAUVER, 1996
Christian de Bartillat

Éditions de luxe
AMOUR DU LIMOUSIN
Illustrations de J.-B. Valadié
Plaisir du Livre, Paris - Fanlac, Périgueux

ÈVES DU MONDE,
Illustrations de J.-B. Valadié
Art Média

Tourisme
LE LIMOUSIN,
Solar/ Solarama

LE LIMOUSIN,
Larousse

LA CORRÈZE,
Ch. Bonneton

LE LIMOUSIN,
Ouest France

BRIVE
Sur des gravures de Pierre Courtois
Éditions R. Moreau, Brive

LA VIE EN LIMOUSIN,
Photos de Pierre Batillot
Les Monédières

BALADE EN CORRÈZE,
Photos de Sylvain Marchou
Les Trois-Épis, Brive

La plupart des ouvrages de Michel Peyramaure ont été repris par des clubs ou en format de poche

CLAUDE MICHELET

Aux éditions Robert Laffont
J'AI CHOISI LA TERRE, 1975
CETTE TERRE EST LA VÔTRE, 1977
DES GRIVES AUX LOUPS, 1979
LES PALOMBES
NE PASSERONT PLUS, 1980
LA GRANDE MURAILLE, 1981
MON PÈRE EDMOND MICHELET, 1981
ROCHEFLAME, 1982
UNE FOIS SEPT, 1983
LES PROMESSES DU CIEL
ET DE LA TERRE, 1985
POUR UN ARPENT DE TERRE, 1986
LE GRAND SILLON, 1988
CETTE TERRE EST TOUJOURS
LA VÔTRE, 1994
L'APPEL DES ENGOULEVENTS, 1990

QUATRE SAISONS EN LIMOUSIN, 1994
propos de table et recettes,
avec Bernadette Michelet

LA NUIT DE CALAMA, 1994

L'auteur a préfacé l'ouvrage de Laurent Soutenet,
Annie Beynel et Yves Michelet,
EDMOND MICHELET,
L'ALBUM D'UNE VIE, 1996
Centre Edmond-Michelet/Robert Laffont

Chez d'autres éditeurs
LA TERRE QUI DEMEURE, 1965
Éditions du Moniteur Agricole

LE SECRET DES INCAS, 1988
Bayard-Presse

VIVE L'HEURE D'HIVER ! 1989
Pocket

LES CENT PLUS BEAUX CHANTS
DE LA TERRE,1990
Le Cherche Midi Éditeur

CETTE TERRE QUI M'ENTOURE, 1995
Christian de Bartillat / Robert Laffont

*La totalité des ouvrages de Claude Michelet
a été reprise par des clubs ou en format de poche*

Aux éditions Robert Laffont
LE RÊVEUR D'AMÉRIQUES, 1980
LE BONHEUR À SOUILLAC, 1982
L'ÉTÉ ANGLAIS, 1983
À LA SANTÉ DES CONQUÉRANTS, 1984

L'ANGE DU DÉSORDRE
Marie de Rohan, duchesse de Chevreuse, 1985

SPLEEN EN CORRÈZE, 1985
L'IRLANDAISE DE DAKAR, 1986
MAISONS DE FAMILLE, 1987
UN LÉGER MALENTENDU, 1988
LA CORRÈZE ET LE ZAMBÈZE, 1990
L'HÔTEL DE KAOLACK, 1991

LES CORRÉZIENS, 1991
En collaboration avec Pierre Dauzier

LE JEU ET LA CHANDELLE, 1994
DERNIER VERRE AU DANTON, 1996

Chez d'autres éditeurs
LE MYSTÈRE SIMENON, 1980
Calmann-Lévy

SPLEEN À DAUMESNIL, 1985
suivi de Le Tour des îles
Le Dilettante

VICHY, 1986
Champ Vallon

LE BAR DES PALMISTES, 1989
Arléa

LE RETOUR DE D'ARTAGNAN, 1992
La Table Ronde

RUGBY BLUES, 1993
La Table Ronde

ELVIS, BALADE SUDISTE, 1996
La Table Ronde

GILBERT BORDES

Aux éditions Robert Laffont
   L'ANGÉLUS DE MINUIT, 1989
   LE ROI EN SON MOULIN, 1990
   LA NUIT DES HULOTTES, 1991
   LES CHASSEURS DE PAPILLONS, 1993
   UN CHEVAL SOUS LA LUNE, 1994
   CE SOIR, IL FERA JOUR, 1995
   L'ANNÉE DES COQUELICOTS, 1996

Aux éditions Seghers
   LE PORTEUR DE DESTINS, 1992

Chez d'autres éditeurs
   BEAUCHABROL,
   Lattès, 1981, Souny, 1990

   BARBE D'OR
   Lattès, 1983, Souny, 1990

   LE CHAT DERRIÈRE LA VITRE, 1994
   (nouvelles)
   L'Archipel

Aux éditions Robert Laffont
   JEANNE LA POLONAISE, 1988
   IL NEIGE ENCORE À VARSOVIE, 1989
   LA FORCE DES LARMES, 1990
   PAR UN SI LONG DÉTOUR, 1992
   LES PÊCHES DE VIGNE, 1994
   LES SAISONS DE VENDÉE, 1996

Chez d'autres éditeurs
   UN TRISTAN POUR ISEUT, 1973
   Le Cercle d'or

   LISE, 1974
   Le Cercle d'or

   LES NOCES DE CLAUDINE, 1975
   Le Cercle d'or

   RETOUR À MALVOISINE, 1979
   Jean-Pierre Delarge

   LA MARIENNÉE, 1981
   Jean-Pierre Delarge

   LA CABANE À SATAN, 1982
   Éditions universitaires

   LA CHASSE AUX LOUPS, 1984
   Flammarion

   LE GRAND CORTÈGE, 1986
   Flammarion

DES PRIX

MICHEL PEYRAMAURE

LES DEMOISELLES DES ÉCOLES :
Prix du printemps du livre de Montaigu / 1995

LE PRINTEMPS DES PIERRES :
Prix du salon du livre de la ville
de Beauchamps / 1983

LA LUMIÈRE ET LA BOUE :
Grand prix de littérature
de la ville de Bordeaux / 1980
et Prix Alexandre Dumas / 1980

LA PASSION CATHARE :
Grand prix de la Société
des gens de lettres / 1979

LA VALLÉE DES MAMMOUTHS :
Grand prix des Treize / 1966

LA FILLE DES GRANDES PLAINES :
Prix de l'Académie du Périgord / 1964

LES LIONS D'AQUITAINE :
Prix Limousin-Périgord

CLAUDE MICHELET

MON PÈRE EDMOND MICHELET :
Prix des Écrivains combattants / 1972

J'AI CHOISI LA TERRE :
Prix des Volcans / 1975

DES GRIVES AUX LOUPS :
Prix Eugène Le Roy / 1979
et Prix des Libraires / 1980

DENIS TILLINAC

LE BONHEUR À SOUILLAC :
Le Prix libre / 1982

L'ÉTÉ ANGLAIS :
Prix Roger Nimier / 1983

MAISONS DE FAMILLE :
Prix Kléber Haedens / 1987

LA CORRÈZE ET LE ZAMBÈZE :
Prix Jacques Chardonne / 1990
Prix littérature et tourisme

GILBERT BORDES

LES CHASSEURS DE PAPILLONS :
Prix Charles Exbrayat / 1993

LA NUIT DES HULOTTES :
Prix RTL grand public / 1992

LE PORTEUR DE DESTINS,
Prix des Maisons de la Presse / 1992
Prix du printemps du livre de Montaigu / 1992
Grand Prix littéraire de
la Corne d'or limousine / 1992

Yves Viollier

LES PÊCHES DE VIGNE :
Grand Prix Vendée / 1994
Grand Prix littéraire de
la Corne d'or limousine / 1995

PAR UN SI LONG DÉTOUR :
Prix du livre 1993 des Écrivains de Vendée.

Jean-Guy Soumy

LES FRUITS DE LA VILLE :
Prix Terre de France/La Vie/La Poste,
Foire de Brive / 1993

LES MOISSONS DÉLAISSÉES :
Prix Mémoire d'Oc Toulouse / 1993
Grand Prix littéraire de
la Corne d'or limousine / 1993

Table

Maquette et composition : Paprika

Achevé d'imprimer par CLERC S.A.
18200 Saint-Amand-Montrond - N° imprimeur : 6376
N° éditeur : 37407
Dépôt légal : octobre 1996